CM1

Jeanine Guion, orthophoniste
Jean Guion, docteur ès sciences de l'éducation

ORTH

Apprendre
l'orthographe

Illustrations : Marc Goubier

Conception graphique : Frédéric Jely

Mise en page : atelier JMH

Couverture : Sandra Chamaret

Édition : Évelyne Brossier

© HATIER PARIS - 2008   ISBN : 978-2-218-93016-4

Cet ouvrage contient plus de 400 exercices correspondant aux notions d'orthographe que les élèves de la classe de CM1 doivent connaître.
Il comprend trois grandes parties :

Observation de la langue écrite

Dix fiches d'exercices sont destinées, en début d'année scolaire, à habituer les élèves à **réfléchir** sur la langue française et à **découvrir** ainsi les principes fondamentaux de l'orthographe.

Règles d'orthographe

Elles couvrent les grands domaines de l'orthographe :
• les notions grammaticales de base ;
• l'orthographe d'usage ;
• les homophones grammaticaux (a/à, son/sont, ce/se...) ;
• les accords en genre et en nombre ;
• les formes verbales, avec en particulier la conjugaison des verbes fondamentaux.

Révision

Dix fiches d'**exercices variés** aident à acquérir les automatismes orthographiques. Elles sont suivies de **dictées** avec des renvois aux règles pour faciliter les révisions et fixer ce qui a été appris.

En plus de ces trois parties, ce livre contient :
■ **des mots à savoir écrire** sans hésiter à la fin du CM1, choisis en fonction de leur fréquence dans la langue et de leur difficulté d'apprentissage. Ils figurent prioritairement dans les exercices et sont présentés par petits groupes en fin de leçons pour être appris **par cœur** PAR♥ ;
■ **deux tests** d'évaluation pour connaître le niveau des enfants en début d'année scolaire et faire le bilan des notions qui sont acquises en fin d'année ;

■ **un index** pratique et facile à utiliser par les élèves.

Conseils d'utilisation

Les tableaux des règles

L'élève doit **observer attentivement** le tableau de la règle avant de faire ses exercices. Il doit ensuite apprendre à **exprimer ce qu'il comprend**. La rubrique *Retiens*, sous le tableau visuel, propose une formulation de la règle. Cette formulation peut également être élaborée en classe avec l'enseignant et devenir ainsi l'occasion d'un travail collectif de réflexion grammaticale.

Les exercices

Quand il s'agit d'exercices à trous, l'élève doit répondre en écrivant **tout ce qui, dans la phrase, permet de comprendre la bonne réponse**. Il prend ainsi l'habitude de sélectionner les informations utiles qui expliquent les marques orthographiques. Soit la phrase : *Hier soir, as-tu encore regard... la télévision ?* L'enfant ne doit pas écrire *regardé*. Il doit écrire : *as-tu regardé ?*

L'évaluation

• Tous les exercices sont prévus pour pouvoir être très facilement notés sur 10 ou sur 20, ce qui rend possible une évaluation suivie des résultats. On estime qu'un élève réussit un exercice systématique lorsqu'il a au moins 8 ou 9 réponses justes sur 10.

• Certains exercices sont corrigés en fin d'ouvrage pour rendre possible l'autocorrection, si l'enseignant le souhaite. Tous sont corrigés sur le site Internet orth-hatier.com. Pour une évaluation plus fiable, les deux tests ne sont pas corrigés dans le livre.

• Les exercices plus difficiles sont signalés par un triangle : ▶.

La progression

ORTH est d'un emploi très souple. L'enseignant peut définir lui-même l'ordre d'étude des règles selon les lacunes de ses élèves ou en fonction de sa progression pédagogique.

Exemple de progression, établie en fonction de la difficulté d'apprentissage des notions d'orthographe :

R1 - R2 - R3 - R4 - R5 - R6 - R31 - R46 - R59 - R7 - R32 - R47 - R8 - R9 - R33 - R48 - R60 - R10 - R34 - R49 - R61 - R11 - R35 - R12 - R36 - R50 - R62 - R13 - R37 - R51 - R63 - R14 - R15 - R38 - R52 - R64 - R16 - R17 - R39 - R53 - R65 - R18 - R19 - R66 - R20 - R40 - R54 - R67 - R21 - R55 - R68 - R22 - R69 - R23 - R41 - R70 - R24 - R42 - R56 - R71 - R25 - R72 - R26 - R43 - R57 - R73 - R27 - R44 - R74 - R28 - R75 - R76 - R29 - R45 - R77 - R30 - R78 - R79 - R58 - R80 - R81.

Présentation d'une règle

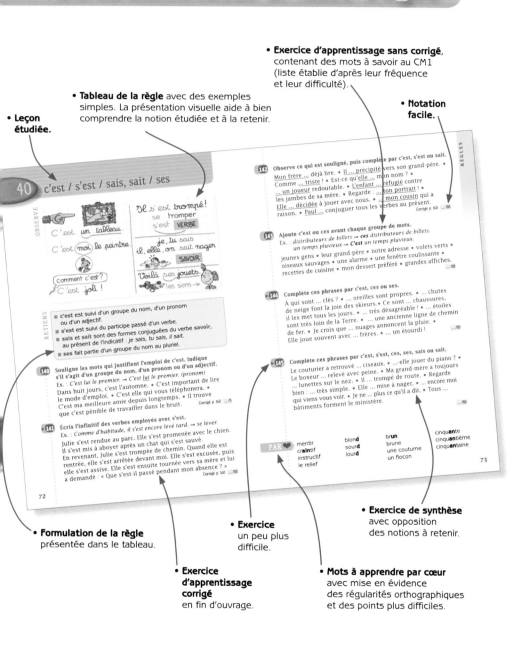

• **Leçon étudiée.**

• **Tableau de la règle** avec des exemples simples. La présentation visuelle aide à bien comprendre la notion étudiée et à la retenir.

• **Notation facile.**

40 c'est / s'est / sais, sait / ses

C'est un tableau.

C'est (moi) le peintre.

Comment c'est ?

C'est joli !

Il s'est trompé !
se tromper
s'est **VERBE**

je, tu sais
il, elle, on sait nager
SAVOIR

Voilà ses jouets.
les siens

RETIENS

- c'est est suivi d'un groupe du nom, d'un pronom ou d'un adjectif.
- s'est est suivi du participe passé d'un verbe.
- sais et sait sont des formes conjuguées du verbe *savoir*, au présent de l'indicatif : *je sais, tu sais, il sait*.
- ses fait partie d'un groupe du nom au pluriel.

140 Souligne les mots qui justifient l'emploi de c'est. Indique s'il s'agit d'un groupe du nom, d'un pronom ou d'un adjectif.
Ex. : *C'est lui le premier.* → *C'est lui le premier. (pronom)*
Dans huit jours, c'est l'automne. • C'est important de lire le mode d'emploi. • C'est elle qui vous téléphonera. • C'est ma meilleure amie depuis longtemps. • Il trouve que c'est pénible de travailler dans le bruit. *Corrigé p. 160 .../5*

141 Écris l'infinitif des verbes employés avec s'est.
Ex. : *Comme d'habitude, il s'est encore levé tard.* → *se lever.*
Julie s'est rendue au parc. Elle s'est promenée avec le chien. Il s'est mis à aboyer après un chat qui s'est sauvé. En revenant, Julie s'est trompée de chemin. Quand elle est rentrée, elle s'est arrêtée devant moi. Elle s'est excusée, puis elle s'est assise. Elle s'est ensuite tournée vers sa mère et lui a demandé : « Que s'est-il passé pendant mon absence ? » *Corrigé p. 160 .../10*

72

142 Observe ce qui est souligné, puis complète par c'est, s'est ou sait.
Mon frère ... déjà lire. • Il ... précipité vers son grand-père. • Comme ... triste ! • Est-ce qu'elle ... mon nom ? • ... un joueur redoutable. • L'enfant ... réfugié contre les jambes de sa mère. • Regarde ... ton portrait ! • Elle ... décidée à jouer avec nous. • ... mon cousin qui a raison. • Paul ... conjuguer tous les verbes au présent. *Corrigé p. 160 .../10*

143 Ajoute c'est ou ces avant chaque groupe de mots.
Ex. : *distributeurs de billets* → *ces distributeurs de billets. un temps pluvieux* → *C'est un temps pluvieux.*
jeunes gens • leur grand-père • notre adresse • volets verts • oiseaux sauvages • une alarme • une fenêtre coulissante • recettes de cuisine • mon dessert préféré • grandes affiches. *.../10*

144 Complète ces phrases par c'est, ces ou ses.
À qui sont ... clés ? • ... oreilles sont propres. • ... chutes de neige font la joie des skieurs. • Ce sont ... chaussures, il les met tous les jours. • ... très désagréable ! • ... étoiles sont très loin de la Terre. • ... une ancienne ligne de chemin de fer. • Je crois que ... nuages annoncent la pluie. • Elle joue souvent avec ... frères. • ... un étourdi ! *.../10*

145 Complète ces phrases par c'est, s'est, ces, ses, sais ou sait.
Le couturier a retrouvé ... ciseaux. • ...elle jouer du piano ? Le boxeur ... relevé avec peine. • Ma grand-mère a toujours ... lunettes sur le nez. • Il ... trompé de route. • Regarde bien : ... très simple. • Elle ... mise à nager. • ... encore moi qui viens vous voir. • Je ne ... plus ce qu'il a dit. • Tous ... bâtiments forment le ministère. *.../10*

PAR ♥

mentir	blon**d**	bru**n**	cinqu**ante**
cr**ai**ntif	sour**d**	brune	cinqu**antième**
instructif	lour**d**	une coutume	cinqu**antaine**
le relief		un flocon	

73

REGLES

• **Formulation de la règle** présentée dans le tableau.

• **Exercice** un peu plus difficile.

• **Exercice de synthèse** avec opposition des notions à retenir.

• **Exercice d'apprentissage corrigé** en fin d'ouvrage.

• **Mots à apprendre par cœur** avec mise en évidence des régularités orthographiques et des points plus difficiles.

Liste des règles

Accords en genre et en nombre

Formes verbales

Test de départ

Passe ce test sans dictionnaire et sans regarder dans le livre.
Les vingt questions posées correspondent à des règles
qui sont au programme de CM1.

1 **Complète ces mots par s ou ss.**
un fo...é   une traver...ée   enta...er

2 **Accorde les adjectifs.**
Léa avait mis des chaussures fourré..., une veste chaud...
et une jupe très long... .

3 **Choisis entre a et à pour compléter la phrase.**
Pense ... réviser tes leçons !

4 **Quel est l'infinitif de ces verbes ?**
nous apprenons : ....   ils disent : ....

5 **Complète ces mots par aill, eill ou ay.**
une r......ure   une corb......e

6 **Accorde les verbes (au présent de l'indicatif).**
Juliette et Clément pass...... leurs vacances en caravane.
Leur voisin les regard...... toujours partir avec envie.

7 **Ajoute les lettres muettes qui manquent.**
Partons : c'est un endroi... tro... bruyan... !

8 **Que manque-t-il : ai, es ou est ?**
Je n'...... pas attendu.

9 **Écris ces noms au pluriel.**
un rideau : des ....   un travail : des ....

10 **Choisis entre ce et se pour compléter la phrase.**
À qui appartient ...... collier ?

11 **Ajoute les accents qui manquent.**
une region   en colere   electrique

12 Écris ces verbes à la 1re et à la 3e personne du singulier du présent de l'indicatif.

courir → je .... ; il ....
clouer → je .... ; il ....

13 Complète la phrase par conte, compte ou comte.

Sa grand-mère nous a lu un très joli ....

14 Accorde les participes passés.

Les personnes invité...... au repas sont arrivé...... en avance.

15 Complète le verbe au temps qui convient.

Demain, nous termin...... notre partie de cartes.

16 Choisis entre on et ont pour compléter la phrase.

Ils ...... chanté toute la nuit.

17 Que manque-t-il : i, is ou it ?

Elle a compr...... le problème.

18 Choisis entre é, er, ait ou ez pour compléter la phrase.

Le vent l'empêche d'avanc...... .

19 Complète la phrase par leur ou leurs.

Les gendarmes ...... ont demandé ...... papiers.

20 Conjugue le verbe faire aux trois personnes de l'impératif présent.

C'est un ordre : ....

(1 point par question entièrement réussie). ... / 20

Relève les numéros des questions où tu as fait des erreurs.
À côté, figurent les règles que tu as besoin d'apprendre.

① R6	⑥ R53 R54	⑪ R11	⑯ R41
② R50 R51	⑦ R14 R29	⑫ R63	⑰ R72
③ R34	⑧ R61	⑬ R28	⑱ R73 R76
④ R59	⑨ R47	⑭ R55 R57	⑲ R42
⑤ R9 R10	⑩ R35	⑮ R68	⑳ R74

Observation de la langue

▶ Avant de commencer l'étude systématique des règles d'orthographe, il est très utile d'apprendre à bien observer la langue écrite. C'est un moment important pour en découvrir les régularités, pour comprendre comment le sens est marqué par l'orthographe. Les élèves se préparent ainsi à aborder efficacement l'étude des règles.

▶ Les dix fiches qui suivent proposent, à partir de courts textes, des exercices d'observation et de manipulation de la langue française. Certaines sont corrigées en fin d'ouvrage pour permettre l'autocorrection.

▶ Chaque fiche est prévue avec vingt réponses pour pouvoir être notée facilement.

Un Indien qui s'applique

Un Indien envoie des messages
avec de la fumée.
Un visage pâle est étonné et lui demande :
– À quoi sert cet extincteur, à côté de vous ?
– C'est ma gomme, quand je fais une faute.

1 Relie le verbe conjugué à son infinitif.

il envoie   voir
il se sert   serrer
il voit   envoyer
il serre   se servir

2 Complète les noms.

fumer   → la fum...
ranger → une rang...
rentrer → la rentr...
arriver → une arriv...
porter → une port...

3 Écris le féminin de ces noms.

un chien, un musicien, un Indien, le gardien, un Parisien.

4 Voici deux mots découpés dont les morceaux ont été mélangés.
Retrouve ces deux mots.

MES   TINC   EX   SAGE   TEUR

5 Prends le mot gomme. Remplace la première lettre
par une autre consonne. Écris quatre mots que tu peux obtenir
de cette façon.

Corrigés p. 154   ... / 20

Des spaghettis très pratiques

Vous avez sûrement déjà mangé des spaghettis.
Ce sont des pâtes fines, longues et rondes.
Il existe maintenant des spaghettis carrés !
On dit qu'ils sont plus faciles à prendre
avec une fourchette !

6 **Observe bien les adjectifs de la première phrase, puis complète.**

Ce sont des pâtes fines, longues et rondes.
Ce sont des bâtons ... ,   ...   et   ... .
C'est une baguette ... ,   ...   et   ... .

7 **Complète ces phrases.**

Les spaghettis carrés sont plus faciles à prendre.
Les pâtes   ...   sont plus   ...   à prendre.
Un macaroni   ...   est   plus   ...   à prendre.

8 **Complète ces phrases par pâte(s) ou patte(s).**

Les ... du chien sont noires.
Papa a cuisiné des ... à la tomate.
Il a marché dans la boue, ses ... sont sales.
Le pâtissier a mis du beurre dans sa ... .

9 **Ces mots se terminent par -ile, sauf deux. Lesquels ?**

immobile   agile   difficile
persil   docile   fragile   inutile
utile   facile   fusil

10 **Complète les noms.**

une fourche   → une fourchette
un casque   → une casqu...
une trompe   → une ...
une ...   → une planchette
une fille   → une ...

Corrigés p. 154 ... / 20

13

> **Un bruit curieux**
> Un petit garçon qui n'avait jamais quitté la ville passe ses vacances dans une ferme.
> Il découvre les animaux...
> Un mois plus tard, il raconte à son grand-père :
> – Tu sais, papy, les cochons, ils parlent comme toi quand tu dors.

11 **Les mots suivants se terminent toujours par la même lettre qui ne s'entend pas. Laquelle ?**

jamais, toujours, depuis, plusieurs, longtemps.

12 **Complète par moi ou mois, toi ou toit.**

... , j'attends sa lettre depuis un ... .
... , tu prends l'échelle pour monter sur le ... .

13 **Complète les verbes.**

En ce moment, tu dor... , nous dor... , ils dor... .

14 **Complète les phrases.**

Je passe mes vacances à la campagne.
Il passe   ...   ...   à la campagne.
Nous passons   ...   ...   à la campagne.
Où passez-vous   ...   ...   ?

15 **Complète avec le masculin des adjectifs.**

Elle est courte.   → Il est ... . | Elle est sotte.   → Il est ... .
Elle est bavarde.   → Il est ... . | Elle est chaude.   → Il est ... .

16 **Écris les mots qui manquent.**

le fermier   → la fermière
un ...   → une cavalière
un infirmier   → une ...
l' ...   → l'épicière
le ...   → la charcutière
un bijoutier   → une ...

Corrigés p. 154   ... / 20

4 Fiche d'observation

Le hérisson

Nous sommes en Inde. Un fakir fait la sieste
sur une planche à clous.
Il caresse en murmurant un petit hérisson
qui s'est blotti dans ses bras :
– Minou, Minou…

17 **Dans le texte ci-dessus, il y a : s'est blotti.**

Il s'agit du verbe … … .

18 **Une planche à clous est une planche qui a des clous. Voici d'autres planches. Complète par le pluriel, si c'est nécessaire.**

une planche à pain…   une planche à voile…
une planche à roulette…   une planche à billet…

19 **Trouve l'infinitif de ces trois verbes.**

sommes, fait, caresse.

20 **Complète ces expressions.**

Dans **ses** bras, dans **les siens**, à **lui**.
Dans mes bras, dans … … , à … .
Dans tes bras, dans … … , à … .

21 **Complète ces noms.**

un clou → des clous   un f… → des fous
un trou → des tr…   un sou → des s…
un coucou → des couc…   un kangourou → des k…

22 **Complète ces mots.**

embrasser → un bras   entasser → un t…
passer → un p…   un matelassier → un m…
lasser → être l…   cadenasser → un c…

Corrigés p. 154   … / 20

15

Lettre pour grand-père

Françoise écrit à son grand-père.
– Voyons, lui dit sa maman, pourquoi écris-tu si gros ?
– Mais, maman, tu sais bien que grand-père est sourd...

23 Trouve l'infinitif de ces trois verbes qui sont dans le texte ci-dessus :

écris, dit, sais.

24 Complète ces phrases.

Françoise écrit à son grand-père.
       Tu   ...   à   ...   grand-père.
    Elles   ...   à   ...   grand-père.

25 Complète ces mots.

voyons → voir
balayer → un bal...
je croyais → cr...re
joyeux → la j...e
royaume → le r...
employer → un empl...

26 Écris le féminin de ces adjectifs.

gros, grand, lourd, bas, sourd.

27 Observe bien le ç du mot Françoise, puis regarde les groupes de lettres ci-dessous. Avant quels groupes de lettres dois-tu écrire ç (c avec une cédille) si tu veux marquer le son « sss » ?

    -o   -oi   -io   -eu
         -on   -ou   -in   -oin

Corrigés p. 155   ... / 20

6 Fiche d'observation

Les poissons dorment-ils ?

Les poissons sont comme tous les animaux : ils ne peuvent pas se passer de sommeil. Si on les empêche de dormir, ils meurent. Mais le poisson, lui, dort les yeux ouverts, car il n'a pas de paupières.

28 **Relie le verbe conjugué à son infinitif.**

il va	savoir
on sait	devoir
elle veut	aller
je dois	vouloir

29 **Il les empêche de dormir peut se dessiner :**
Sur ce modèle, écris les phrases correspondant aux dessins :

a. Ils l' … … … .

b. Ils … … … … .

c. Il … … … … .

30 **Parmi ces mots, il y en a certains qui contiennent le son « sss » quand on les prononce. Écris-les.**

poisson, caser, ruse, dessert, poser, poison, coussin, basse, désert, possible, cousin, base.

31 **Il manque une lettre à ces verbes. C'est toujours la même. Trouve cette lettre, puis écris les verbes.**

cou...ir, gué...ir, fleu...ir.

32 **Complète ces noms.**

un animal → des animaux	un chev... → des chevaux
un journal → des journ...	un bocal → des boc...
un can... → des canaux	un sign... → des signaux

Corrigés p. 155 ... / 20

> **Un match pas comme les autres**
> Le numéro de cirque le plus curieux
> du monde a sans doute été présenté
> par un cirque de Berlin :
> six vaches dressées jouaient
> au football !

33 **Lis le texte ci-dessus, puis réponds à ces deux questions.**
Qui est-ce *qui est* « dressées » ?
Qui est-ce *qui* « jouaient » ?

34 **Écris ces noms au pluriel.**
un numéro, une auto, un vélo, un piano, un bravo.

35 **Trace les flèches qui montrent comment on prononce le mot six dans chacune des expressions suivantes.**

six vaches
six enfants
six numéros   Je prononce « si ».
Il y en a six.   Je prononce « sizzz ».
six élèves   Je prononce « sisss ».

36 **Complète ces phrases par au ou par aux.**

Ils jouent   ...   football.   Je joue   ...   billes.
Elles jouent   ...   quilles.   On joue   ...   ballon.

37 **Choisis la bonne syllabe pour terminer les mots de gauche.**
Ex. : *le cirque.*

le cir-
une gla-
une bar-   -que
une far-   -ce
une bri-

38 **En changeant une lettre de place dans le mot crique,**
tu retrouveras un mot du texte qui est en haut de cette page.

... / 20

À l'école

Les élèves regardent aujourd'hui des photos.
Le directeur demande à un étourdi :
– Auguste, sais-tu pourquoi les maisons
sont construites en bois, à la montagne ?
– Bien sûr, m'sieur ! C'est parce qu'on a eu
besoin des pierres pour construire les montagnes.

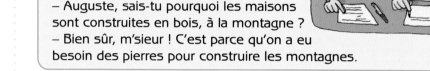

39 **Relie les mots à leur définition.**

H	U	E
E	U	
E	U	X
	U	

• Participe passé du verbe *avoir*.
• Voyelle.
• Se dit pour faire avancer un cheval.
• Ils sont plusieurs.

40 **Un des mots écrits dans les cases de l'exercice 39
ne se prononce pas du tout comme les autres. Lequel ?**

41 **Complète ces phrases.**

Les maisons sont construites. | L'immeuble   ...   .
La maison   ...   . | Les immeubles ...   .

42 **Complète en écrivant les questions à la forme affirmative,
sans changer la personne.**
Ex. : **Sais-tu** pourquoi ? Oui, **tu sais** pourquoi.
Le sais-tu ? Oui, tu le ... . | Es-tu venu ? Oui, ...
Le sait-il ? Oui, ... | Est-elle partie ? Oui, ...

43 **Écris le féminin de ces noms.**

directeur, lecteur, spectateur, acteur, auditeur, moniteur.

44 **Quels sont les deux verbes qu'on doit enlever pour
que tous les autres se terminent de la même façon ?**

construire   instruire   cuire
conduire   détruire   s'enfuir
fuir   luire

... / 20

19

Fiche d'observation

Sur un fil

Un oiseau est perché sur un fil téléphonique.
Tout à coup, il se met à sautiller sur place en riant.
– Tu es malade ? lui demande un autre oiseau.
– Non ! C'est un message qui me chatouille.

45 **Le verbe sautiller est de la famille de :**

a. sot   b. seau   c. saut   d. sceau

46 **Observe bien : Il se met à ... *quoi faire ?* ... à sautiller.**
                     Il a sautillé.
En t'aidant de ces deux modèles, complète ces phrases
par chanter ou chanté.

Il se met à ... . | Nous n'avons pas ... .
Elle a ... . | Les oiseaux se mettent à ... .

47 **Complète ces phrases par fil, fils ou file.**

Cet homme a trois garçons : ce sont ses   ...   .
Une longue   ...   de voitures forme un embouteillage.
Cette broderie est faite de   ...   de toutes les couleurs.
Il déroule un   ...   électrique.

48 **Complète.**

rire   →   en riant
sautiller   →   ...   ...
...   →   en prenant
chatouiller →   ...   ...
demander   →   ...   ...

49 **Avec ces mots, écris-en quatre nouveaux formés avec télé.**

commande, vision, siège, copie.

50 **Trouve trois mots où le son « fff » s'écrit avec ph,**
comme dans téléphonique.

        ... / 20

Histoire de robots

Nous sommes en l'an 3000. Un robot demande
au vendeur du rayon bricolage :
– Avez-vous de la tôle ondulée bleue ?
– Oui, bien sûr…
– Eh bien, j'en voudrais deux mètres.
Ma femme veut se faire une jupe plissée.

51 **Complète ces phrases.**

Une jupe plissée est une jupe qui a des pl... .

Une feuille de papier : pour faire un pli, il faut la pl... .

52 **Parmi tous ces objets, quels sont ceux qui peuvent s'acheter au rayon bricolage ?**

une pince, des tenailles, une pièce de tissu, un poireau, un marteau, un gâteau, des clous, des vis, un pot de confiture, une scie, du thé.

53 **Quel mot est de la famille de vendeur ?**
a. vent   b. vendre   c. venger

Quel mot est de la famille de défenseur ?
a. dépenser   b. défoncer   c. défendre

Quel mot est de la famille d'inspecteur ?
a. inspecter   b. insecte   c. sécher

54 **Dans quels mots peux-tu lire ond ?**

onde	poudre	inondation	donner
nord	pardon	ondulé	ondulation

55 **Voici trois mots : redemande, revendeur, refaire.
Si on enlève la même syllabe à chacun de ces mots, on trouve trois mots qui sont dans le texte du haut de cette page. Écris-les.**

56 **En changeant la première lettre du mot tôle, on peut obtenir deux nouveaux mots. Lesquels ?**

... / 20

Règles d'orthographe

▶ Elles sont regroupées sous cinq rubriques *(liste des règles pages 6-7)* :
- notions de base ;
- orthographe d'usage ;
- homophones grammaticaux ;
- accords en genre et en nombre ;
- formes verbales.

Le professeur peut choisir l'ordre d'étude de ces règles, ou suivre la progression proposée page 4.

▶ Les mots marqués PAR ♥ doivent être appris. Ils ont été choisis en fonction de leur fréquence et de leur difficulté. Ils s'intègrent à la progression des ouvrages de la série ORTH.

▶ Certains exercices sont autocorrectifs, d'autres non. On peut facilement les noter, car ils sont prévus avec cinq, dix ou vingt réponses. Les plus difficiles sont signalés par un petit triangle bleu : ▶.

ait ais aient

une **personne** | un animal | une chose | une idée

C'est le groupe du nom.

un joli mouton frisé

mes l'un
mon la
cette ces
...

ADJECTIF ◆ NOM ◆ ADJECTIF

■ Le groupe du nom (appelé aussi *groupe nominal*) est formé d'un nom, précédé d'un petit mot qu'on appelle un déterminant : *un, une, le, la, des, mon, ma, mes…*

■ Le nom peut être accompagné d'un adjectif qualificatif (*un joli mouton*) ou de deux adjectifs qualificatifs (*un joli mouton frisé*).

1 **Relie chaque déterminant de gauche au nom qui convient.**

le   feuille | ces   bague
une   promesses | le   récoltes
ses   nageur | ma   vestiaire

Corrigé p. 155 ... /5

2 **Chaque fois que c'est possible, trace le dessin du groupe du nom.**
Ex. : *Je colorie un dessin.*

Il est allé à la boucherie. • J'ai acheté des casseroles. • C'est un secret. • Sur le toit, il y a des tuiles. • Veux-tu du sirop dans ton lait ? • Ton ordinateur est réparé. • Ce chien a des puces.

Corrigé p. 155 ... /10

3 **Classe ces groupes du nom en 4 colonnes suivant qu'ils représentent une personne, un animal, une chose ou une idée.**

une allumette, un gendarme, une actrice, un aspirateur, la liberté, un faisan, un défaut, un parapluie, une brebis, un juge.

Corrigé p. 155 ... /10

4 Chaque fois que c'est possible, trace le dessin du groupe du nom.

L'âne aime l'avoine. • Il a fait une longue sieste. • J'ai regardé la télévision. • Il pose toujours des questions. • Cet élève a perdu son bonnet. • As-tu fermé les volets ? • Cet artisan fabrique de belles poteries.

... / 10

5 Classe ces groupes du nom en 4 colonnes suivant qu'ils représentent une personne, un animal, une chose ou une idée.

un veau, une qualité, un étranger, une souris, une pancarte, la colère, un arbitre, un couvercle, un étudiant, un lézard.

... / 10

6 Dans la liste suivante, relève les mots qui sont des noms, en leur ajoutant un, une ou des, suivant les cas.

offrir, yeux, buisson, gravir, médecins, lourd, étage, poussette, lentement, pousser, clé, chez, médaille, étroit, virages, triste, écran, jambe, apercevoir. Corrigé p. 155 ... / 10

7 Parmi ces petits mots, dix peuvent se trouver au début du groupe du nom. Ce sont des déterminants. Écris-les en ajoutant un nom.

Ex. : *ma* → *ma* **grand-mère**.

mon, votre, si, je, l', cette, lui, nos, avec, par, leur, ce, tu, dans, son, pour, sous, ces, en, vous, sont, les.

... / 10

8 Écris les groupes du nom.

Je préfère les haricots verts plutôt que les petits pois. • La vieille dame se repose dans sa chaise longue. • Il a mis sa chemise verte qui a des manches courtes. • C'est le onzième joueur de l'équipe. • On a admiré la beauté de ces meubles anciens.

... / 10

une fraise	un bananier	un chausson	un infirme
un fraisier	une datte	une chaussette	une infirmité
une cerise	*(fruit)*	le chagrin	une infirmerie
un cerisier	le dîner	un brin d'herbe	un infirmier

2 le pronom

Sophie a un petit frère. Il a six ans.

Elle le mène à l'école.

PRONOM

■ Le pronom est un mot qui remplace un groupe du nom.
Il faut toujours penser au nom qu'il représente.
Dans la phrase *Elle le mène à l'école*, **elle** remplace *Sophie*
et **le** remplace *son frère*.

9 **Remplace chaque groupe du nom *en italique* par un pronom.**
Ex. : *Le chien* aboie. → **Il** aboie.

Les pompiers sont venus. • *La vallée* disparaît dans la brume. •
Ces étoffes coûtent cher. • *Ta calculette* n'a pas servi. •
Vos factures sont prêtes. • *Cette tranche de viande* est
épaisse. • *Les drapeaux* flottaient au vent. • *Ses chaussettes*
sont usées. • *Une avalanche* bloque la route. • *Les fleurs*
sentent bon.   Corrigé p. 155   ... /10

10 **Écris toutes les phrases possibles en remplaçant les pronoms
en italique par les noms sur fond bleu qui conviennent.**
Ex. : *Il* conduit la voiture. → **Le chauffeur** conduit la voiture.

Il conduit la voiture.   le chauffeur, les gendarmes,

Elle pilote l'avion.   les infirmières, les apprentis,
                                  la fillette, le pompier,
Ils lavent la vaisselle.   le vendeur, les filles,

Elles font le ménage.   ma sœur, les garçons, sa mère.

Corrigé p. 156   ... /10

26

11 **Entoure chaque pronom.**

Ex. : (Il) *joue au ballon.*

Ils sont couverts de boue. • Elle dormait tranquillement. •
Tu peux avoir confiance. • Nous sommes arrivés. •
On nagera longtemps. • Ils ouvrent le portail, puis
ils le referment. • Prends cette lettre et va la poster. •
Elles ont peur. Corrigé p. 156 ... /10

12 **Remplace chaque groupe du nom *en italique* par un pronom.**

Mon écharpe me tient chaud. • *Les tonneaux* sont pleins. •
La tente est montée. • *La fanfare* défile. • *Ma sœur* a acheté
des œufs. • *Ces émissions* sont très intéressantes. •
Les invités chantaient. • *Le troupeau* revient dans la plaine. •
L'assassin a été arrêté. • *Ces cerises* sont mûres. ... /10

13 **Souligne les groupes du nom et entoure les pronoms.
Ils sont tous *en italique*.**

Ex. : *Elle* aime *les abricots.* → (Elle) aime <u>*les abricots*</u>.

Il soulève *la valise* et *la* pose sur *un rayon.* • *Elle* cueille
des fraises et *les* mange avec *du sucre.* • *On* entre dans
la grotte pour *la* visiter. • *Cette coiffure* est réussie. •
Il a rangé *les clous* dans *la boîte.* • Apporte-*la* tout de suite. •
Les arbres perdent *leurs feuilles* et *on les* ramasse. Corrigé p. 156 ... /20

14 **Écris cinq phrases en remplaçant chaque pronom en gras
par un groupe du nom de ton choix.**

Ex. : *Elle **la** mène à l'école.* → *Elle mène **sa fille** à l'école.*

L'infirmière est venue **le** soigner. • Les voyageurs **l'**attendent
sur le quai. • Les joueurs **les** rangeront au vestiaire après
le match. • Cet oiseau **les** mangera sans doute. • Pense à **lui**
demander une facture. ... /5

AR			
le tien	le nôtre	un **nom**	une re**cette**
le sien	le vôtre	un pré**nom**	une chou**ette**
moi-même	une action	un pro**nom**	la toilette
eu**x**-même**s**	une actrice	un sur**nom**	une culotte

27

OBSERVE

Ces chevaux noirs sont rapides.

Ils galopent dans le pré.

Comment sont-ils ?

noirs
rapides

ADJECTIF **s**

Que font-ils ?

Ils galopent.

VERBE **nt**

RETIENS

■ Les adjectifs et les verbes changent d'orthographe suivant les mots qui les entourent. Les lettres qu'on ajoute ne sont pas les mêmes :

– l'adjectif peut porter la lettre **e** qui marque le féminin et la lettre **s** qui marque le pluriel : *noir, noire, noirs, noires* ;

– le verbe porte les terminaisons de la conjugaison : *il galope, ils galopent.*

15 **Classe ces mots en deux groupes : un groupe d'adjectifs et un groupe de verbes.**

dangereux, bossu, comprendre, tricolore, enlever, mou, quitter, soigneux, grogner, trouver.

Corrigé p. 156 ... /10

16 **Relève les adjectifs qui sont dans ces phrases.**
Ex. : *Les merles ont le bec jaune.* → **jaune**.

Je ne me souviens plus si elle est blonde ou brune. •
On est vraiment courageux ! • Connaissez-vous ce monsieur chauve ? • Je suis très curieux. • Je crois que c'est inutile. •
On va à l'école primaire. • Un moteur puissant rend cette voiture agréable à conduire. • Mes parents m'ont offert un jeu instructif.

Corrigé p. 156 ... /10

17 **Relève les verbes qui sont dans ces phrases. Écris leur infinitif.**

Ex. : *Comme elle chante faux !* → ***chante*** *(chanter).*

J'oublie toujours ce livre. • Le géomètre mesura la cour. •
Il remplit le réservoir. • On n'avançait pas très vite. •
Le voleur avoua. • Je souhaite que vous pesiez cette lettre. •
N'ouvre pas la fenêtre ! • Elle ralentit dans les virages. •
Rougit-il beaucoup ?   Corrigé p. 156 ... /10

18 **Classe ces mots en deux groupes : un groupe d'adjectifs
et un groupe de verbes.**

circuler, pleuvoir, blanc, vouloir, ajouter, grand, tranquille,
mordre, mauvais, nouveau, présenter, noter, long, polisson,
passer, lourd, injuste, partir, regarder, maigre.   ... /20

19 **Pour chaque verbe, trouve l'adjectif correspondant sur fond bleu.**

Ex. : *s'affaiblir* → *faible.*

libérer	se piquer	pâle	souriant
sourire	mentir	jaune	calme
pâlir	distraire	menteur	central
jaunir	admirer	libre	piquant
centrer	calmer	admirable	distrait

Corrigé p. 156 ... /10

20 **Pour chaque adjectif, trouve le verbe correspondant sur fond bleu.**

Ex. : *beau* → *embellir.*

noir	soigneux	aimer	rajeunir
aimable	maigre	maigrir	glisser
instructif	clair	éclairer	se fatiguer
fatigant	gros	instruire	grossir
glissant	jeune	noircir	soigner

... /10

AR	considérer	obliger	contenter	sourire
	considérable	obligatoire	content	souriant
	se distraire	droit	incomplet	instruit
	distrait	étroit	favorable	immobile

29

OBSERVE

Non, je (ne) veux (pas) !

Je (n') enlève (pas) mes lunettes.

P'TIT NON

Oui, je ( ) veux ( ) bien !

J' ( ) enlève ( ) mes lunettes.

P'TIT OUI

RETIENS

■ La négation est formée de deux mots :
  – le 1ᵉʳ mot est avant le verbe : *ne* ou *n'* (avant une voyelle) ;
  – le 2ᵉ mot est après le verbe : *pas, plus, rien, jamais, que, point…*
■ Remarque : si le verbe est à un temps composé, la négation encadre l'auxiliaire *(Je n'ai **pas** enlevé mes lunettes).*

21 **Voici des phrases de « P'tit Non ». Fais-les dire à « P'tit Oui ».**

Ex. : *P'tit Non : Il (ne) mange (pas).* • *P'tit Oui : Il mange.*

Paul n'a pas gagné. • Il ne courbait pas la tête. • Capucine ne voyait plus la mer. • Elle ne désobéit jamais. • On n'a pas obtenu ce qu'on voulait. • Il ne vérifia pas les freins. • On n'entre plus. • Il ne suçait jamais son pouce. • Il ne m'a pas invité. • Papa ne le console pas.   Corrigé p. 156   … /10

22 **Voici des phrases de « P'tit Non ». Fais-les dire à « P'tit Oui ».**

Son frère n'arrivait pas à nager. • Les fraises ne sont pas mûres. • On ne le délivrera plus. • Il ne frappe jamais à la porte. • Les gens n'utilisaient pas l'eau de la fontaine. • Il n'a pas dépensé son argent. • Elle n'habite plus à Paris. • Ce poème n'a que huit vers. • Cet insecte ne pique pas. • N'a-t-il pas faim ?   … /10

PAR ♥

une po**é**sie	au**c**un	bonsoir	à propo**s**
un po**è**me	au**c**une	du g**r**ain	propo**s**er
l'avenir	au revoir	une g**r**aine	une propo**sition**

5 l'interrogation

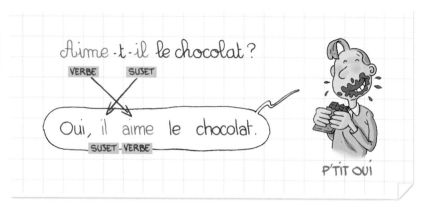

■ Une phrase interrogative exprime une question. Le sujet peut être placé après le verbe. Il faut toujours chercher la phrase simple qui correspond : *Aime-t-il ?* correspond à *il aime*.

23 **Ces phrases posent des questions. Fais dire la phrase simple à « P'tit Oui ».**

Ex. : *Aimes-**tu** les crêpes ?* • *P'tit Oui : Tu aimes les crêpes.*

As-**tu** un mouchoir ? • Avait-**elle** des frères ? • Partirons-**nous** très tôt, demain matin ? • Êtes-vous prêts ? • Peut-on faire quelque chose ? • S'est-il envolé avec sa proie ? • A-t-il perdu son chemin ? • Le trouvez-vous joli ? • Habitez-vous dans une ville ? • Sera-t-elle heureuse ?   Corrigé p. 156 ... /10

24 **Fais dire à « P'tit Oui » les phrases simples correspondantes.**

Crois-**tu** qu'elle pourra venir ? • Avez-**vous** une guitare ? • Désires-**tu** vraiment qu'elle parte ? • Arrivera-t-il avant la nuit ? • Ira-t-elle à l'école demain ? • Allons-nous revenir l'an prochain ? • Attendez-vous quelqu'un ? • A-t-elle pensé à acheter du lait ? • Ont-ils eu raison ? • Pendant les vacances, as-tu écrit à ta grand-mère ?   ... /10

AR ♥

le ga**z**	un juge	un as**ile**	enseign**er**
le ga**z**on	juger	frag**ile**	un enseign**ant**
un lé**z**ard	un jugement	un croco**dile**	l'enseign**ement**

OBSERVE

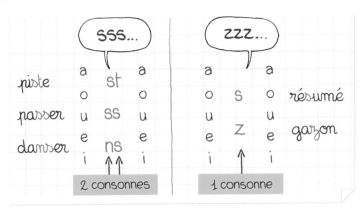

RETIENS

- Le son « s » s'écrit avec **deux s** quand il est entre deux voyelles.
- Le son « z » s'écrit très souvent avec la lettre **s** et parfois avec la lettre **z**. En début de mot, le son « z » s'écrit toujours avec un **z**.

25 Écris ces mots en deux groupes : ceux qui ont le son « z » et ceux qui ont le son « sss ». Que remarques-tu ?

la raison, désobéir, une glissade, tousser, la conjugaison, le troisième, le repassage, la richesse, une groseille, un résumé.

Corrigé p. 156   ... /10

26 Prononce ces mots, puis complète-les par s ou ss.

la li...ière, dépa...er, une émi...ion, une ca...erole, la moi...on, enta...er, creu...er, une ceri...e, un fri...on, une po...ition.

Corrigé p. 156   ... /10

▶ **27** Complète les mots par s ou ss pour marquer le son « sss » et souligne ce qui t'a permis de répondre.

des chau...ettes • la traver...ée • s'empre...er de répondre • la gro...eur • une pen...ion de famille • une cui...e de poulet • la polite...e • con...ulter un site • la triste...e • bien de...iner.

... /10

PAR ♥

une cai**ss**e	pou**ss**er	se chau**ss**er	amu**s**ant
une boi**ss**on	une pou**ss**ette	se déchau**ss**er	un amu**s**ement
une ba**ss**ine	la jeune**ss**e	une chau**ss**ure	la pelou**s**e
la sage**ss**e	la tendr**ess**e	un chau**ss**on	un fai**s**an

les mots avec **g** ou **gu**, **c** ou **qu**

OBSERVE

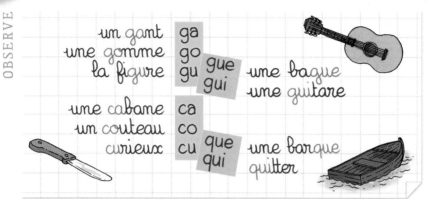

un gant — ga
une gomme — go
la figure — gu — gue / gui — une bague / une guitare

une cabane — ca
un couteau — co
curieux — cu — que / qui — une barque / quitter

RETIENS

■ **g** avant **a**, **o**, **u** correspond au son « g » de *gant*.
On écrit **gu** avant **e** et **i** pour garder le son « g » : *une bague, une guitare.*

■ **c** avant **a**, **o**, **u** correspond au son « k » de *cabane*.
On écrit **qu** avant **e** et **i** pour garder le son « k » : *une barque, quitter.*

28 **Complète par g ou gu, puis souligne ce qui t'a fait choisir gu.**

une ba...e, une ...irlande, un wa...on, obli...atoire, navi...er,
la ...erre, un ba...age, fati...é, ru...eux, une ri...ole.

Corrigé p. 156 ... / 10

29 **Complète par c ou qu, puis souligne ce qui t'a fait choisir qu.**

un bo...al, compli...é, cro...er, un ...abinet, le par...et,
une é...ipe, une ci...atrice, un dé...oupage, un re...in,
l'édu...ation.

Corrigé p. 156 ... / 10

▶ **30** **Complète par g ou gu, c ou qu.**

Ex. : *l'é...ilibre → l'équilibre.*

une bé...ille, une bla...e, distin...er, le lan...age, un cra...ement,
un flo...on, un dé...isement, dé...ager, au...un, ...ider.

... / 10

AR ♥

une équipe — une guitare — un paquet — cro**qu**er
un équipage — la gue**rr**e — le parquet — se mo**qu**er
un flacon — un gue**rr**ier — un arbuste — convo**qu**er

8 — les mots avec **g** ou **ge**, **c** ou **ç**

OBSERVE

ge ——— on nage
gea il nageait
geo un plongeoir
gi ——— un gilet

ce ——— une place
ça il plaça
ço un glaçon
çu un reçu
ci ——— le cinéma

RETIENS

■ On écrit **ge** avant **a**, **o**, **u** pour que la lettre **g** ait le son « j » : *il nageait, un plongeoir.*

■ On écrit **ç** avant **a**, **o**, **u** pour que la lettre **c** ait le son « s » : *il plaça, un glaçon, un reçu.*

31 **Complète par g ou ge, puis souligne ce qui t'a fait choisir ge.**
un pi...on, coura...eux, il bou...ait, fra...ile, un bour...on, un ju...ement, un gara...iste, rou...âtre, rou...ir, il char...a.
Corrigé p. 156 ... /10

32 **Complète par c ou ç, puis souligne ce qui t'a fait choisir ç.**
un gar...on, prin...ipal, il lan...ait, dénon...er, un méde...in, une fa...ade, mer...i, un colima...on, une le...on, une su...ette.
Corrigé p. 156 ... /10

33 **Pour chaque mot, trouve un mot de la même famille avec ge ou ç.**
Ex. : *nager → il nageait ; la glace → un glaçon.*
plonger, une orange, avancer, ranger, un commerce, rincer, un village, une balance, manger, la France. ... /10

PAR ❤
les gens — docile — remplacer — une **ci**gogne
un gendarme — la glace — un rempla**ç**ant — une **ci**catri**ce**
geler — glacé — une fa**ç**on — du **ci**ment
la gelée — un gla**ç**on — un re**ç**u — le **ci**néma

34

9 les mots avec **ail**, **eil**, **euil**, **ouil**

une médaille	(a) aill _	(a) ail — un portail
une bouteille	(è) eill _	(è) eil — le soleil
le feuillage	(eu) euill _	(eu) euil — un fauteuil
il se mouille	(ou) ouill _	(ou) ouil — le fenouil

À la fin du mot, au masculin.

une **NOM**   un **NOM**

je
il... **VERBE**

- **ail**, **eil**, **euil**, **ouil** se trouvent seulement à la fin d'un nom masculin.
- **aill**, **eill**, **euill**, **ouill** se rencontrent dans des noms féminins *(une médaille)*, à l'intérieur d'un mot *(le feuillage)* ou dans des verbes *(il se mouille)*.

34 **Écris ces mots en ajoutant un ou une.**

réveil, oreille, écaille, grenouille, feuille, orteil, médaille, chevreuil, bouteille, portail. Corrigé p. 156 ... / 10

35 **Complète par ail ou aille, eil ou eille, euil ou euille.**

le bét...   le somm...   la vol...   une corb...   un écur...
de la ferr...   un évent...   une bat...   un faut...   un appar... .

... / 10

▶ 36 **Complète par il, ille, illes ou illent. Souligne les verbes.**

une abe... • un bouvreu... • elle se réve... • le trava... •
ils se mou... • une grose... • tu trava... • un épouvanta... •
il rou... • une merve... .

... / 10

AR ♥	le trav**ail**	la v**eille**	le f**eu**illage	de l'**ail**
	un trav**aill**eur	un or**eill**er	incapable	un r**ail**
	une méd**aille**	une gros**eille**	indispensable	un vitr**ail**

OBSERVE

il aboie — oi, ié → **oyer**
aboyer

un balai — ai, ié → **ayer**
balayer

il s'appuie — ui, ié → **uyer**
s'appuyer

RETIENS

■ Les écritures **oy**, **ay**, **uy** correspondent à **oi + i**, **ai + i**, **ui + i**.

■ On trouve souvent un mot avec **oi**, **ai** ou **ui** dans la famille des mots s'écrivant avec **oy**, **ay**, **uy** : *aboyer, il aboie ; balayer, un balai ; s'appuyer, il s'appuie.*

37 **Complète par ay, oy ou uy à gauche et par ai, oi ou ui à droite.**
Ex. : *bal...er → un balai : bal**ay**er.*

joyeux	→	la j...e	bruyant	→	du br...t
le r...aume	→	le roi	une v...elle	→	la voix
un cr...on	→	une craie	un n...er	→	une noix
incr...able	→	croire	un rayon	→	une r...e
un fuyard	→	la f...te	soyeux	→	de la s...e

Corrigé p. 157   ... / 10

38 **Écris les verbes qui ont oy, ay ou uy et qui correspondent à ces mots.**

Ex. : *un envoi → env**oy**er.*

un voyage, un emploi, un appui, il aboie, un paiement, un ennui, un essai, je nettoie, un renvoi, un essuie-mains.

... / 10

PAR ♥

une voyelle	rayer	les **y**eux	un pa**y**san
joyeux	un rayon	un foyer	un pa**y**sage
moyen	un crayon	un microbe	normal
se noyer	de l'**h**uile	un micro**sc**ope	un bocal

11 l'accent aigu, l'accent grave

un métier | un mètre | un merle

mé-tier | mè-tre | mer-le

Je mets un accent si le e est à la fin de la syllabe.

⚠ mettre

- Sur la lettre **e**, les accents servent à marquer la prononciation.
- Il y a l'accent aigu (**é**) de *métier* et l'accent grave (**è**) de *mètre*. Ils sont toujours placés à la fin d'une syllabe : *mé-tier, mè-tre*.
- La lettre **e** n'a pas d'accent et se lit comme **è** quand elle est à l'intérieur d'une syllabe : *mer-le*.

39 **Complète les mots par é ou è.**

un centim...tre, il est m...chant, ob...ir, le pr...sident, en col...re, le cinqui...me, un l...zard, de la fi...vre, malgr..., du m...tal. Corrigé p. 157 ... /10

40 **Écris ces mots en attachant les syllabes et en remettant les accents aigus ou graves qui manquent.**

la di-rec-tion, la guer-re, re-pe-ter, ge-ne-reux, un ber-ceau, des lu-net-tes, une me-che, la che-vre, un cer-cle, un po-e-me. ... /10

▶ **41** **Écris ces mots en ajoutant les accents qui manquent.**

une epidemie, une inspection, la liberte, le douzieme, leger, un petale, une propriete, un festival, une menagere, la perfection. ... /10

l'accent circonflexe

un château   â

une fête   ê   (è)   une bête

le dîner   î   une bestiole

un rôti   ô

une bûche   û

■ L'accent circonflexe peut se trouver sur toutes les voyelles, sauf **y**.

■ Sur la lettre **e**, l'accent circonflexe marque la même prononciation que l'accent grave.

■ L'accent circonflexe remplace une lettre disparue, souvent un **s**.

42 **Complète par ê ou é.**

une ar...te de poisson, un invit..., un ch...ne, la f...te, l'agneau b...le, une po...sie, inf...rieur, elle-m...me, un d...coupage, une cr...pe.   Corrigé p. 157   ... /10

43 **Attache les syllabes, puis ajoute les accents circonflexes.**

un pe-cheur, il est te-tu, s'ar-re-ter, un ve-te-ment, une be-ti-se, la fe-ne-tre, des re-ves, la tem-pe-te, un pre-tre, une en-que-te.   Corrigé p. 157   ... /10

▶ **44** **Ajoute les accents circonflexes qui manquent.**

un diner aux chandelles • un visage très pale • le role principal du film • un coté du triangle • une buche au chocolat • une drole d'histoire • une cloison de platre • etre au chomage • se lever tot • un batiment de briques.   ... /10

PAR ♥   une b**ê**che   la for**ê**t   une c**ô**te   une r**é**gion

         b**ê**cher   for**es**tier   un r**ô**ti   une r**é**duction

    le pl**â**tre   un ch**â**teau   un r**ô**le   une r**è**gle

13 la ponctuation

Il s'arrête un peu, beaucoup.

virgule   point

Il demande :

2 points

– Est-ce que je mets le ton ?

tiret   point d'interrogation

– Bien sûr !

tiret   point d'exclamation

Après tous ces points, j'écris une majuscule.

- La **virgule** marque une courte pause à l'intérieur d'une phrase.
- Le **point** termine la phrase. Il est suivi d'une lettre majuscule.
  Le **point d'interrogation** indique qu'une question est posée.
  Le **point d'exclamation** indique que l'on s'exclame.
  Les **deux points** annoncent une explication ou un dialogue.
- Dans les dialogues, on met un **tiret** chaque fois qu'une nouvelle personne prend la parole.

45 **Remplace chaque rond bleu par un signe de ponctuation.**

Camille allait d'un rayon à l'autre • Elle appelait :
– Tomy ! Tomy •
• Tu cherches ton chien • lui demanda un vendeur •
• Pas du tout • c'est mon frère • Il a un an • protesta
Camille •

Corrigé p. 157 ... /10

▶ **46** **Remplace chaque rond bleu par un signe de ponctuation.**

Soudain • un bruit monte au loin • Hugo l'entend et alerte
son père :
– N'entends-tu pas une sorte de grondement •
• Oui • Pourvu que ce ne soit pas le volcan •
– Non • je ne crois pas • Écoute •
• On dirait un moteur d'avion...

... /10

PAR ♥

la ponctuation	en avan**ce**	le bé**tail**	une ai**gu**ille
une production	en retar**d**	un dé**tail**	une bé**qu**ille

14 les liens de parenté

familles	séries
galop	chanteur
galoper	coiffeur
galopade	danseur
lourd	situation
lourde	invitation
lourdeur	circulation

Où est la photo de ma grand-mère ?

RETIENS

■ Les mots forment des familles ou appartiennent à des séries.
Ex. : famille de **galop** : *galop, galoper, galopade* ;
série des noms en **-eur** : *chanteur, coiffeur, danseur...*

■ Un mot de la même famille peut aider à comprendre
et à retenir l'orthographe d'un autre mot : *lourde* fait entendre
le **d muet** de *lourd*.

47 **Complète les mots par t ou p.**

la montagne, un mon... • camper, un cam... • champêtre,
un cham... • tricoter, un trico... • énervante, énervan... •
galoper, le galo... • un drapeau, un dra... • le dentiste,
une den... • délicate, délica... • glissante, glissan... .

Corrigé p. 157 ... /10

48 **Écris ces expressions avec un nom masculin.**
Ex. : *une personne frileuse → un garçon frileux.*

une femme courageuse, une nuit orageuse, une assiette creuse,
une bête curieuse, une journée pluvieuse, une glace délicieuse,
une maman généreuse, une route dangereuse, une chanson
joyeuse, une chatte heureuse.

Corrigé p. 157 ... /10

49 **Complète les mots par s ou t.**

basse, ba... • souhaiter, un souhai... • épaisse, épai... •
parfaite, parfai... • tasser, un ta... • distraite, distrai... •
étroite, étroi... • satisfaite, satisfai... • mauvaise, mauvai... •
une laiterie, du lai... .

Corrigé p. 157 ... /10

40

50 **Complète les mots par t ou d.**

une loterie, un lo... • bondir, un bon... • retarder, le retar... •
une cliente, un clien... • la marchandise, un marchan... •
une partie, une par... • des lardons, du lar... • transporter,
le transpor... • un artiste, l'ar... • une centaine, cen... .

Corrigé p. 157 ... /10

51 **Complète par ai ou a.**

j'**ai**	→ il ...	satisf**ai**t	→ la satisf...ction
aimable	→ ...mour	le contr...re	→ contr**a**rier
la gr...sse	→ le gr**a**s	distr...re	→ une distr**a**ction
une b**ai**sse	→ b...s	la ch...r	→ le ch**a**rcutier
scol**ai**re	→ scol...rité	soustr...re	→ la soustr**a**ction

... /10

52 **Chacun de ces mots a un adjectif dans sa famille.
Écris-le, au masculin.**

une brune, une blonde, une rondelle, agrandir, une chaudière,
lentement, une droite, refroidir, lourdement, assourdissant.

... /10

53 **Écris les noms terminés par ant qui correspondent à ces verbes.**
Ex. : *savoir → un savant.*

étudier, fortifier, enseigner, débuter, tourner, perdre,
suivre, passer, surveiller, gagner.

... /10

54 **Réponds aux questions suivantes.**

Avec quel métal est fabriqué l'argenterie ? • Où travaille
un égoutier ? • Qu'étudie le climatologue ? • Que fabrique
un gantier ? • Que dessine un portraitiste ? •
Que travaille un diamantaire ? • Que fabrique-t-on dans
une cimenterie ? • Où peut-on écouter un concerto ? •
Que vend-on dans une billetterie ? • Quel fruit donne
l'abricotier ?

... /10

se**p**t	le tem**ps**	le débu**t**	vin**gt**
se**p**tième	la température	débuter	le vin**g**tième
se**p**tembre	le siro**p**	un débutant	une vin**g**taine
le ri**z**	un dra**p**	un gant	un couver**t**

41

OBSERVE

Les nombres s'écrivent avec des mots invariables.

Entre 0 et 100, on relie les nombres par et ou par un tiret.

les quatre enfants

ses onze ans

leurs sept chats

cinq mille habitants

21 : vingt et un

22 : vingt - deux

38 : trente-huit

90 : quatre-vingt-dix

RETIENS

■ Les nombres s'écrivent avec des mots invariables.
On relie les nombres inférieurs à cent par **et** ou par un **tiret** :
vingt et un, vingt-deux.

■ Attention : on écrit *quatre-vingt**s**, deux cent**s**, trois cent**s**…*

55 **Écris ces nombres en lettres.**
11, 14, 7, 100, 60, 20, 70, 1 000, 31, 47.

Corrigé p. 157 ... /10

56 **Écris ces nombres en lettres.**
22, 33, 50, 59, 65, 17, 72, 36, 41, 80. ... /10

▶**57** **Complète chaque colonne.**

huit	→	une huit**aine**	→	*le huit**ième***	
trente	→	une ...	→	le ...	
...	→	une quinzaine	→	la ...	
...	→	une ...	→	la dixième	
vingt	→	une ...	→	le ...	
douze	→	une ...	→	la ...	... /10

PAR ❤

on**z**e	on**z**ième	dix-sept	**c**ent
huit	dé**ch**i**ff**rer	dix-septième	un **c**entime
huitième	un **ch**i**ff**re	un numéro	un **c**entimètre

16 les noms féminins en **-ée, -ie, -ue**

une année
la rentrée

une ——ée

⚠ sauf :
une clé, et les noms
en –té (la beauté...)

une série
la pluie

une ——ie

⚠ sauf :
la nuit, la fourmi,
la brebis, la souris,
la perdrix.

une avenue
une tortue

une ——ue

⚠ sauf :
une tribu, la vertu,
la bru, la glu.

■ Les noms féminins terminés par le son « é » s'écrivent **ée** :
une année. Sauf : *une clé* et les noms terminés par -*té*.

■ Les noms féminins terminés par le son « i » s'écrivent **ie** :
une série. Sauf : *la nuit, la fourmi, la brebis, la souris, la perdrix.*

■ Les noms féminins terminés par le son « u » s'écrivent **ue** :
une avenue. Sauf : *la tribu, la vertu, la bru, la glu.*

58 **Quels noms en -ée correspondent à ces mots ?**
Ex. : *le matin → la matinée.*
le soir, la veille, l'an, la bouche, la gorge, il traverse,
il arrive, il gèle, il dicte, il rentre. Corrigé p. 157 ... /10

59 **Ces noms se terminent par le son « i ». Complète-les.**
une épidém..., une sér..., une perdr..., une fantais...,
une imprimer..., une fourm..., l'industr..., la nu..., une boug...,
une sour... . ... /10

▶ **60** **Complète ces noms terminés par le son « é » ou par le son « u ».**
une stat..., la ros..., une rev..., une ép..., une aven..., une cl...,
une gr..., une étend..., une trib..., une id... . ... /10

 AR ♥

un lait**ier**	le poin**g**	une all**ée**	une souri**s**
une lait**erie**	une poi**gn**ée	la chau**ss**ée	une brebi**s**
une bouch**erie**	un poi**gn**ard	une traversée	une avenue

OBSERVE

un chanteur
un danseur

la peur
la chaleur

un —— eur
MASCULIN

la —eur
FÉMININ

⚠ sauf:
le beurre

⚠ sauf:
une heure, une demeure

RETIENS

■ Les noms terminés par le son « eur » s'écrivent **eur** :
un chanteur, la peur, la chaleur.
Sauf : *le beurre, une heure, une demeure.*

61 **Quels adjectifs correspondent à ces noms ?**
Ex. : *la chaleur → chaud.*

la fraîcheur, une rougeur, la rondeur, la lourdeur, l'épaisseur, la laideur, la lenteur, la froideur, la blancheur, la noirceur.

Corrigé p. 157 ... /10

62 **Quels noms féminins en -eur correspondent à ces adjectifs ?**
gros, haut, doux, large, profond, grand, long, maigre, mince, pâle.

Corrigé p. 157 ... /10

63 **Écris ces noms en ajoutant un ou le, une ou la.**
lueur, aspirateur, saveur, boxeur, terreur, distributeur, sœur, chauffeur, beurre, fureur.

... /10

▶ **64** **Complète ces noms par eur ou eure.**
une demi-h..., la doul..., la vap..., une od..., un lect..., une dem..., la val..., le bonh..., une liqu..., l'horr... .

... /10

PAR ❤

un campeur	un acte	une insp**ec**tion	le beu**rr**e
un aspirateur	un acteur	un insp**ec**teur	une demeu**r**e

18 les noms féminins en -té

beau   solide

la beauté   la solidité

la ——— té

⚠ sauf :

une dictée, une montée, une portée, une jetée ...

■ Les noms féminins terminés par le son « té » s'écrivent **té** : *la beauté*. Mais on écrit : *une dictée, une montée, une portée, une jetée*...

65 **Quels noms féminins en -té obtient-on à partir de ces adjectifs ?**
Ex. : *beau* → *la beauté.*

utile, propre, obscur, fier, bon, pauvre, sale, nouveau, rapide, facile.   Corrigé p. 157   ... / 10

66 **Trouve les adjectifs qui correspondent à ces noms en -té.**
Ex. : *la curiosité* → *curieux.*

la méchanceté, l'égalité, l'immobilité, la solidité, la clarté, la simplicité, la liberté, l'infirmité, la réalité, la légèreté.   Corrigé p. 157   ... / 10

▶ **67** **Complète les noms par té ou tée.**

Il y a un kilomètre de mon... . • Elle a de la volon... . • On a fait une dic... . • La proprié... est fermée. • Sa plus grande quali... est la franchise. • Il n'aime pas la publici... . • On s'est promené sur la je... . • Il y a six chatons dans la por... . • On a acheté une quanti... de clous ! • Quelle brutali... !   ... / 10

charitable	un local	actif	pâle
la chari**té**	une locali**té**	aimable	une b**ê**tise
la pitié	lé**g**er	coupable	une b**û**che

OBSERVE

une action

l'aviation

la ——tion

⚠ sauf :

la passion, une discussion, une mission, une profession...

RETIENS

■ De nombreux noms se terminent par **-tion** : *une action, l'aviation.* Sauf *la passion, une discussion* et les mots terminés par **-mission** *(une commission)* et **-ession** *(une profession).*

68 **Écris les noms terminés par -ation correspondant à ces verbes.**
Ex. : *représenter* → *une représentation.*

préparer, situer, inviter, ponctuer, informer, circuler, déclarer, respirer, admirer, imaginer. Corrigé p. 157 ... / 10

69 **Écris les noms terminés par -tion correspondant à ces verbes.**
Ex. : *définir* → *une définition.*

disposer, distribuer, inspecter, apparaître, protéger, composer, produire, réduire, diriger, éduquer. ... / 10

70 **Complète les noms par tion ou ssion.**

donner sa démi... • faire une soustrac... • écouter une émi... de radio • une cour de récréa... • changer de profe... • demander la permi... • faire une puni... • des fruits de la pa... • retenir sa respira... • faire très atten... . ... / 10

PAR ♥

habiter	une position	les préparatifs	une pile
une habitation	la perfection	une préparation	une pilule
une indication	une explication	un architecte	un pétale

20 les noms en **-ère, -ière, -aire**

le boulanger   la boulangère
un ——— er   une ———ère

| le commissaire |
| le commissariat |
| ———————— aire |
| ———————— a — |

le pâtissier   la pâtissière
un ———ier   une ———ière

- De nombreux noms se terminent par **-er, -ier, -ère** et **-ière**.
  On trouve des noms masculins et leur féminin : *le boulanger,*
  la boulangère.

- Les noms terminés par **-aire** ont souvent un mot contenant le
  son « a » dans leur famille : *un commissaire, un commissariat.*

71 **Observe bien les mots de gauche, puis complète ceux de droite**
par ère ou aire.

caract**é**ristique	→ un caract…	la popul**a**rité	→ popul…
contr**a**rier	→ le contr…	poussi**é**reux	→ la poussi…
gramm**a**tical	→ la gramm…	la solid**a**rité	→ solid…
col**é**reux	→ la col…	la scol**a**rité	→ scol…
un sal**a**rié	→ un sal…	un écoli**er**	→ une écoli…

Corrigé p. 157 … /10

▶ **72** **Voici des noms de métiers au masculin.**
Écris leur féminin, lorsque c'est possible.

un charcutier, un cuisinier, un charpentier, un crémier,
un épicier, un menuisier, un policier, un caissier, un boucher,
un bijoutier, un berger, un portier, un infirmier, un fermier,
un pompier. … /10

la volonté	un libr**aire**	voler	co**mm**un
volont**aire**	un locat**aire**	un vol	la co**mm**une
contrarier	la propriété	un volan**t**	un co**mm**erce
le contr**aire**	un propriét**aire**	un vol**et**	un clien**t**

OBSERVE

un savon

une savonnette

savonner

onn

le matin

la matinée

matinal

in

RETIENS

■ La plupart des mots qui ont le son « onne » s'écrivent avec **deux n**. Beaucoup correspondent à un mot terminé par **-on** : *savonner, savon.*

■ La plupart des mots qui ont le son « ine » s'écrivent avec **un seul n**. Beaucoup correspondent à un mot terminé par **-in** : *matinée, matin.*

73 **Trouve les noms en -on ou en -in contenus dans ces mots.**
Ex. : *crayonner → un crayon.*

une camionnette, une chansonnette, du vinaigre, raisonnable, la médecine, un citronnier, une bassine, un questionnaire, masculine, tamponner.   Corrigé p. 157   ... /10

74 **Écris les verbes en -onner ou en -iner correspondant à ces noms.**
Ex. : *une question → questionner.*

un dessin, une façon, un frisson, une station, un chagrin, un bouton, un vaccin, le pardon, un patin, un chemin.
Corrigé p. 157   ... /10

▶ **75** **Écris le féminin de ces mots.**

un lion, un voisin, le champion, un espion, féminin, mignon, un lapin, polisson, un orphelin, coquin.   ... /10

PAR ♥

une conso**nne**	bouto**nne**r	du crin	la médeci**ne**
une perso**nne**	empoiso**nne**r	une cri**nè**re	un cuisini**e**r
un to**nne**au	pardo**nne**r	une mandari**ne**	dessi**ne**r

48

22 la lettre s

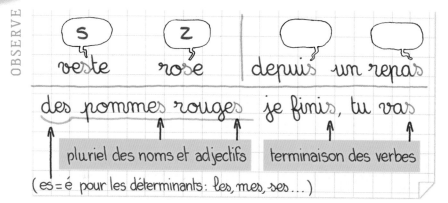

■ La lettre **s** peut représenter les sons « s » ou « z » :
une veste, une rose.

■ Elle peut marquer le pluriel des noms et des adjectifs :
des pommes rouges. Elle est aussi utilisée dans la conjugaison :
je finis, tu vas.

■ Certains mots se terminent toujours par un **s** muet : *depuis.*

76 **Écris les mots où la lettre s correspond au son « z ».**
un cuisinier, une consonne, une berceuse, un menuisier,
avoir raison, une averse, un artisan, une casquette, l'osier,
une exposition, un rasoir, bonsoir, un musée, des groseilles.

Corrigé p. 158 ... / 10

77 **Souligne les s qui se prononcent.**
Ex. : *un cactus, le repas* → *un cactu<u>s</u>, le repas.*
le corps, mon fils, le lilas, un ours, un compas, hélas,
un tapis, un as, un palais, un os, début mars, un tournevis,
une brebis, un virus, un matelas, le maïs, l'autobus. ... / 10

▶ **78** **Dans quels mots *en italique* la lettre s marque-t-elle le pluriel ?**
Les *enfants* sont *dehors.* • *Elles* font les *vendanges.* • *Ils* n'en
peuvent *plus.* • Tu *joues* aux *cartes.* • Les *clubs de loisirs*
seront *ouverts dès* le *printemps.* • Les *épinards* sont *cuits.* ... / 10

PAR ♥

| à ra**s** | un ta**s** | la pre**sse** | salir |
| ra**s**er | enta**ss**er | une prome**sse** | la **s**aleté |

49

OBSERVE

RETIENS

- La lettre **x** peut représenter les sons « ks » *(taxi)*, « gz » *(exemple)*, « s » *(six)* ou « z » *(sixième)*.
- Elle peut marquer le pluriel des noms : *des jeux*.
  Elle est aussi utilisée dans la conjugaison : *je peux, tu veux*.
- Certains mots se terminent toujours par un **x** muet : *heureux*.

79 **Quels mots terminés par -x peux-tu écrire à partir de ces mots ?**
Ex. : *croiser → une croix.*

choisir, creuser, douce, tousser, le deuxième, rousse, fausse,
une dizaine, la curiosité, une noisette.   Corrigé p. 158 ... /10

80 **Écris les mots où la lettre x se prononce.**

un taxi, la paix, un examen, une perdrix, un exercice, la voix,
soigneux, exact, frileux, le prix, six, nuageux, un boxeur,
mieux, une exposition, un texte, s'exprimer, exagéré.   ... /10

81 **Classe ces mots en deux groupes : ceux où x se prononce « ks »
et ceux où x se prononce « gz ».**

une fixation, exister, une expression, un exemple, expliquer,
se vexer, examiner, exactement, un auxiliaire, un exposé.

                                                           ... /10

PAR ♥   le pri**x**   si**x**   un **ex**ercice   l'**ext**érieur
          la pai**x**   si**x**ième   un **ex**emple   **exp**rimer

24 la lettre **h**

> ch
> f
> ca   ier

chat phoque cahier méthode
c+h   p+h

h aspiré

un hibou   une histoire   **h muet**
le hibou   l' histoire
des hiboux   des histoires

pas de liaison   liaison

- Dans les mots, la lettre **h** peut servir à former **ch** et **ph** (*chat, phoque*) ou à séparer deux voyelles (*cahier*). Elle peut aussi être muette (*méthode*).

- Au début des mots, la lettre **h** peut être aspirée (*le hibou*) ou muette (*l'histoire*).

82 **Quand on enlève la lettre h, est-ce que la prononciation change ?**
Ex. : *un bahut* → *oui* (baut) ; *du thon* → *non* (ton).

la menthe, le couchant, le thé, la pharmacie, un bonhomme, charitable, ahuri, un rhume, une charpente, le bonheur.

Corrigé p. 158   ... /10

83 **Écris les mots de la même famille deux par deux.**

un herbivore, l'humidité, habiter, la hanche, inhabitable, un hurlement, se déhancher, l'herbe, humide, hurler.   ... /10

84 **Ajoute le, la ou l' suivant que le h est aspiré ou muet.**
Ex. : *... hibou* → **le** *hibou* (*h aspiré*) ; *... herbe* → **l'***herbe* (*h muet*).

... huile d'olive, ... héros, ... hirondelle, ... hameau, ... horloge, ... haie, ... habitude, ... hache, ... homme, ... hélicoptère.

Corrigé p. 158   ... /10

PAR

une **h**ache	une **h**orloge	une **h**irondelle	**h**umide
une **h**aie	un **h**orlog**er**	une charpente	**h**eur**eux**
la **h**anche	le cloch**er**	un charpent**ier**	le bon**h**eur

OBSERVE

attirer

| at | tirer |

glissade

| gliss | ade |

rondelle

| rond | elle |

apporter

| ap | porter |

pommier

| pomm | ier |

tristesse

| trist | esse |

RETIENS

■ On peut trouver des doubles consonnes au début des mots *(at.tirer, ap.porter)*, à l'intérieur des mots *(gliss.ade, pomm.ier)* ou à la fin des mots *(rond.elle, trist.esse)*.

---

85 **Complète ces noms avec ette ou avec elle.**

Ex. : *une rond...* → *une rondelle.*

une sauter..., une chou..., une ru..., une rec..., la dent...,
la toil..., une demois..., une voy..., une servi..., une fem... .

Corrigé p. 158   ... / 10

86 **Trouve les noms en -ette correspondant à ces noms et à ces verbes.**

Ex. : *une poche* → *une pochette.*

une fourche, une cloche, la mie, cacher, une cuve,
une trompe, baver, une barre, deviner, une couche,
une fille, une plaque, une boule, une chaîne, sonner,
une langue, une face, rouler, un casque, une noix.

Corrigé p. 158   ... / 20

87 **Écris ces expressions en ajoutant des doubles consonnes.**

Ex. : *o...rir un cadeau* → *offrir un cadeau.*

un croissant au beu...e • un co...ier de perles • un tube
de po...ade • une tou...e d'herbe • une gro...e préhistorique •
une culo...e en coton • un ca...é de chocolat • le chi...re
sept • un coup de si..let • déclarer la gue...e.   Corrigé p. 158   ... / 10

88 **Aide-toi du mot de gauche pour compléter le mot de la même famille.**

Ex. : *gramme → kilogra**mm**e.*

terre	→ te...asse	nappe	→	na...eron
coiffer	→ coi...eur	colle	→	co...age
mettre	→ perme...re	souffrir	→	sou...rance
sonner	→ so...erie	chauffer	→	chau...age
pomme	→ po...ier	personne	→	perso...age

Corrigé p. 158 ... /10

89 **Écris ces expressions en ajoutant des doubles consonnes.**

Ex. : *la va...ée du Rhône → la va**ll**ée du Rhône.*

tomber en pa...e • les gri...es du chat • un fromage à pâte mo...e • un co...ret à bijoux • mener une vie tranqui...e • un livre de gra...aire • un bu...et de cuisine • a...rocher à pas de loup • une gra...e de raisin • une éto...e de coton. ... /10

90 **Ajoute les doubles consonnes qui manquent.**

peser plus d'une to...e • une a...ée goudro...ée • des vieux chi...ons • une éche...e en aluminium • craquer une a...ume...e • faire un bonho...e de neige • un bruit te...ible • avoir la gri...e • creuser un trou avec une pe...e • une raque...e de te...is. ... /10

91 **Complète chaque couple de mots de la même famille avec la même double consonne.**

co...erce	→ co...erçant	so...e	→ so...eil
a...ée	→ a...iversaire	bo...es	→ bo...ines
ra...orter	→ ra...orteur	si...ler	→ si...loter
nou...ir	→ nou...iture	ve...ou	→ ve...ouiller
couro...e	→ couro...ement	a...oser	→ a...osoir

... /10

allumer	un fou**et**	en arrière	les flo**ts**
une allume**tte**	foue**tt**er	l'arrivée	flo**tt**er
faible	te**rr**ible	mille	une gri**ff**e
a**ff**aiblir	la te**rr**eur	tranqui**ll**e	gri**ff**er

classer
il a classé
un classement
—— *ement*

sentir
il a senti
un sentiment
—— *iment*

⚠ *agrandir : agrandi → agrandissement*

OBSERVE

RETIENS

- Les noms terminés par **-ment** s'écrivent **-ement** s'ils sont formés d'un participe passé en **-é** : *classé, classement.*
- Les noms formés avec un participe passé en **-i** s'écrivent **-iment** *(senti, sentiment)* ou **-issement** *(agrandi, agrandissement).*

92 **Cinq noms correspondent à des verbes. Écris ces verbes.**

un claquement, un craquement, un moment, un croisement, un monument, le classement, un élément, un département, une jument, un dégagement. Corrigé p. 158 ... /5

93 **Avec quels participes passés peux-tu écrire des noms en -ment ?**

amusé, transporté, couché, enseigné, jugé, gagné, gouverné, fortifié, débuté, miaulé. Corrigé p. 158 ... /5

▶ **94** **Pour chaque phrase, écris une expression avec un nom en -ment.**
Ex. : *La terre a tremblé.* → *un tremblement de terre.*

Le tonnerre a grondé. • Le chien a grogné. • Le lion a rugi. • Un pneu a éclaté. • Le terrain a glissé. • Le malade a gémi. • Le moteur a ronflé. • Le match a commencé. • On a chargé le camion. • On a remplacé un joueur. ... /10

| PAR ♥ | se loger | sentir | le commencement | amusant |
| | un logement | un sentiment | un ens**em**ble | l'amusement |

27 les adverbes en **-ment**

lent → *lente* → *lentement*
joyeux → *joyeuse* → *joyeusement*
tranquille → *tranquille* → *tranquillement*

MASCULIN → FÉMININ → + ment

ADVERBE

⚠ *profondément*

■ Les adverbes terminés par **-ment** sont formés à partir d'un adjectif au féminin suivi de **-ment** qui signifie « d'une manière » : *lente, lentement (d'une manière lente).*

---

95 **Trouve l'adjectif féminin qui correspond à chaque mot.**
Ex. : *heureusement → heureuse.*

agréablement	doucement	rapidement	faussement
parfaitement	largement	justement	gravement
soigneusement	nettement		

Corrigé p. 158 ... /10

96 **Écris ces adjectifs au féminin, puis les adverbes qui correspondent.**
Ex. : *joyeux → joyeuse, joyeusement.*

curieux, tendre, gratuit, simple, malheureux, calme, aimable, étroit, prochain, lourd.

Corrigé p. 158 ... /10

▶ **97** **Écris les adverbes correspondant à ces adjectifs.**

tranquille, dangereux, distinct, seul, frais, unique, mou, régulier, profond, délicieux.

... /10

PAR ♥

franche	soigner	parfaitement	lent
franchement	soigneux	rapidement	lentement
gravement	soigneusement	entièrement	également

28 les homonymes

la voie ~~ les mêmes sons ~~ la voix

des sens différents

la voie ferrée ← des écritures différentes → la voix du chanteur

■ Les homonymes sont des mots qui se prononcent de la même façon, mais qui ont des sens différents et des écritures différentes : *la voie (ferrée)* et *la voix (du chanteur)*.

98 **Complète par les homonymes en gras.**

sot / saut / seau • Elle saute très haut ; quel ... ! • Qu'elle est sotte ; qu'il est ... ! • Remplis ce ... avec de l'eau.

compte / conte / comte • Mamie raconte un beau ... . • Voici monsieur le ... . • Le comptable a fini les ... .

laid / lait • À la laiterie, achète du ... . • Elle est laide ; il est ... .

bon / bond • La soupe est bonne ; le potage est ... . • Le chien bondit ; il a fait un ... .   Corrigé p. 158   ... /10

99 **Complète par les homonymes en gras.**

porc / port • Les installations du ... sont les installations portuaires. • Un jeune ... s'appelle un porcelet.

cour / cours / court • Ce pantalon est trop ... . • Il descend le ... de la rivière. • La ... a été goudronnée.

fin / faim • C'est fini ; c'est la ... . • Il est affamé ; il a ... .

vois / voit / voix • Il a une drôle de ... : il chante faux. • Je le ... bien et lui aussi, il me ... très bien.   Corrigé p. 158   ... /10

100 Complète par les homonymes en gras.

fois / foie • Parfois, il revient deux ou trois ... . • Jadis, pour faire grossir le ... d'une oie, les Grecs la gavaient de figues.

ver / vers / vert / verre • Je préfère ce pull ... à cette chemise verte. • Il faut passer par ce champ pour aller ... le torrent. • Ce fruit contient un ... . • Prends ce ... de limonade.

sans / sent / cent / sang • Cette fleur ... bon. • C'est une tache de ... . • Ils étaient ... trois. • C'est un foyer ... enfants.

Corrigé p. 158 ... /10

101 Complète par les homonymes en gras.

cou / coup / coud • Il ... un bouton. • D'un grand ... de hache, il coupa la bûche. • Ce col me serre le ... .

cher / chair • Les animaux carnivores se nourrissent de ... . • Ma chère maman et mon ... papa.

cinq / sain / saint • La nourriture est saine ; le climat est ... . • Dix groupes de ... garçons, cela représente cinquante enfants. • C'est une sainte femme ; cet homme est un ... .

cane / canne • Le vieillard s'aide d'une ... pour marcher. • La ... est la femelle du canard. ... /10

102 Choisis parmi ces homonymes pour compléter les phrases.
sel, selle, si, scie, -ci, mal, malle, mâle, date, datte.

La ... est un fruit. • Je mets du ... dans la soupe. • Pose la ... à métaux sur l'établi. • Il s'est fait ... au genou. • Louis change la ... du vélo. • Tu ne veux pas de frites ? ... ! • Ce n'est pas une femelle, c'est un ... . • Vous rangerez celle ... sur l'étagère. • Sa ... est pleine de linge. • Écris la ... en haut de la page. ... /10

103 Choisis cinq de ces homonymes pour compléter les phrases.
pot, peau, encre, ancre, pois, poids, poix, temps, tant, tend.

Elle a la ... fragile. • Veux-tu manger des petits ... ? • Elle a ... ri qu'elle en pleurait ! • Les camions sont appelés des ... lourds. • Il écrit avec de l'... noire. ... /10

AR

l'art	le lard	cher	chut !
un artisan	la chair	chéri	une chute
un artiste	**cont**er	un **j**et d'eau	un poil
un auteur	ra**cont**er	**j**eter	poilu

57

les mots invariables

Il est debout. Elle est debout. Ils sont debout.

invariable   invariable   invariable

Un mot invariable
ne change pas
d'orthographe.

Un mot invariable
n'a pas de féminin,
n'a pas de pluriel.

■ **Les mots invariables sont des adverbes, ou bien des mots qui servent à assembler les autres mots. Ils ne changent jamais d'orthographe. Il faut les apprendre par cœur.**

104 **Complète ces phrases avec les mots sur fond bleu.**

PAR ♥

très   après
près de   d'après
auprès

Il est arrivé longtemps ... elle. • Il est ... onze heures. • Je resterai ... de toi. • ... vous, dans combien de temps serons-nous arrivés ? • Nous sommes ... contents.

PAR ♥

mais
moins   jamais
alors   toujours

Il ne viendra ... . • Elle dit ... la vérité. • Je le crois, ... je me méfie tout de même. • Il ne mangeait pas, ... je lui ai proposé un dessert. • Il travaille ... que sa sœur.

Corrigé p. 158   ... /10

105 **Complète ces phrases avec les mots sur fond bleu.**

PAR ♥

durant   avant
pendant   devant
maintenant

Je sais ... qu'elle court très vite. • Il arrêta sa voiture ... la porte. • On parla une heure ... . • Nous sommes arrivés ... toi. • Il sera absent ... une semaine.

PAR ♥

puisque   puis
lorsque   depuis
presque

Il pleut ... trois jours. • ... il leva le drapeau, la fanfare se mit à jouer. • Il s'étendit sur le lit, ... il s'endormit. • ... tu veux sortir, prends un parapluie. • Inès a ... toujours raison.

Corrigé p. 158   ... /10

106 Complète ces phrases avec les mots sur fond bleu.

PAR ♥ quoi
pourquoi
pourtant
partout
surtout

Son chien le suit ... . • Je voudrais savoir ... tu n'aimes pas cette voiture. • La neige bloque la route, mais il faut ... avancer. • ... ne m'envoie pas de lettres ! • Elle n'a pas de ... vivre.

PAR ♥ à
voilà là
déjà jusqu'à

Tu étais ... avant elle. • Je suis arrivé ... huit heures. • Le ..., c'est bien lui. • Il restera ... ce soir. • Mathilde est ... venue.

... /10

107 Complète ces phrases avec les mots sur fond bleu.

PAR ♥ ici
aussi voici
ceci
parmi

Restons ... . • Il n'est pas ... grand que toi. • ... mes enfants. • Serez-vous ... nous dimanche prochain ? • Regardez bien ... : c'est une pièce de monnaie ancienne.

PAR ♥ trop
tard beaucoup
tout à coup
longtemps

L'avion est ... plus rapide que le train. • Ces gâteaux sont ... chers ! • Il y a ... qu'elle est partie. • Hier soir, il s'est couché très ... . • ..., Tom se retourna et se sauva.

... /10

108 Complète ces phrases avec les mots sur fond bleu.

PAR ♥
chez dedans
assez dessus
chaque dessous
malgré parfois
autrefois
quelquefois

Merci, j'en ai ... . • Les mots ... et ... ont presque le même sens. • le petit singe s'est penché au-... du puits et il est tombé ... . • Il sort ... la pluie. • ... soir, il soulève son oreiller et cache son livre ... .• Je t'invite ... moi. • ... signifie il y a très longtemps.

... /10

PAR ♥
parfois | mieux | parce que | soudain
autrefois | à côté | pourvu que | demain
dedans | tôt | autant | après-demain
chez | bientôt | malgré | avant-hier

30 les verbes terminés par -endre, -eindre, -uire, -oir

OBSERVE

⚠ répandre

⚠ craindre, plaindre

— endre

verbes terminés par ...

— eindre

— uire

— oir

⚠ fuir, s'enfuir

⚠ croire, boire

RETIENS

- Les verbes terminés par le son « endre » s'écrivent tous **endre** : *prendre, vendre.* Sauf *répandre.*

- Les verbes terminés par le son « indre » s'écrivent tous **eindre** : *peindre, éteindre.* Sauf *craindre* et *plaindre.*

- Les verbes terminés par le son « uir » s'écrivent tous **uire** : *construire, s'instruire.* Sauf *fuir* et *s'enfuir.*

- Les verbes terminés par le son « oir » s'écrivent tous **oir** : *pouvoir, apercevoir.* Sauf *croire* et *boire.*

109 **Complète ces verbes par uire ou par oir.**
Ex. : *apercev...* → *apercevoir.*

recond..., détr..., sav..., reconstr..., pleuv..., fall..., reprod..., s'asse..., s'instr..., recev... .   Corrigé p. 159   ... /10

110 **Complète ces verbes par uire, oir ou oire.**

cond... une voiture • prév... le temps • val... cher • constr... un mur • voul... réussir • b... du thé • rev... un film • introd... la clé dans la serrure • c... au four • cr... quelqu'un.   ... /10

111 **Complète ces verbes par endre, eindre ou aindre.**

se déf... seul • se pl... du bruit • desc... l'escalier • susp... un lustre • cr... le froid • ent... les voisins • dép... de quelqu'un • rep... la cuisine • r... un service • ét... la lumière.   ... /10

31 et / est

OBSERVE

RETIENS

■ **et** réunit deux mots, deux expressions ou deux phrases.
Il a le sens d'une addition : *la poule **et** son poussin*.

■ **est**, c'est la 3e personne du singulier du verbe *être*,
au présent de l'indicatif *(il **est** content)* ou de l'auxiliaire *être*
d'un verbe au passé composé *(il **est** réveillé)*.

112 **Complète par et ou est, puis souligne ce qui t'a permis de répondre.**
Ex. : *Pierre **est** gourmand. Il aime les pêches **et** les fraises.*

La terre ... ronde.• Ce bruit ... pénible. • Elle joue du piano
... du violon. • Il ... très poli. • Il fait des grimaces ... dit
des sottises. • Elle se coucha ... s'endormit. • Ce jeu ...-il
permis ? • Il obéit ... s'assit. • Ce n'... pas stupide. • Elle a
son portable ... ses clés.   Corrigé p. 159 ... /10

113 **Complète ces phrases par et ou est.**

La solution ... facile à trouver. • ...-il toujours aussi sage ? •
Il glissa ... tomba. • Il a réparé mon réveil ... mon horloge. •
Ma serviette n'... pas sèche. • La fête ... terminée. • On a
faim ... soif. • Lucie ... allée à la foire. • Antoine élève des
porcs ... des canards. • Où ... ta trousse ?   ... /10

AR ♥

la so**mm**e	un degr**é**	la largeur	la bont**é**
un po**mm**ier	un cong**é**	largement	la propret**é**
une po**mm**ade	un foss**é**	la douceur	la rapidit**é**
un gra**mm**e	une cl**é**	doucement	la mar**ée**

un vélo ou une voiture

ou bien

Où veux-tu aller ?

À quel endroit ?

⚠ au moment où

■ **ou** (sans accent) marque un choix : *un vélo ou une voiture* (*l'un ou bien l'autre*).

■ **où** (avec accent) exprime une idée de lieu : *où veux-tu aller ?* (*à quel endroit ?*) ; **où** exprime parfois une idée de temps : *la pluie se mit à tomber au moment où j'entrai.*

114 **Complète par ou ou par où, puis souligne ce qui t'a fait choisir ou.**

Il ouvrit le placard … se trouvait son livre. • Préférez-vous un potage … de la salade ? • C'est la grange … je me suis caché. • D'… es-tu parti ? • Est-ce ton frère … ta sœur qui va venir ? • … veux-tu aller ? À Nice … à Lyon ? • C'est un lapin … un lièvre. • … est le rayon sport ? • Elle sait … il faut s'arrêter.

Corrigé p. 159   … /10

115 **Complète ces phrases par ou ou par où.**

Préfères-tu le football … le rugby ? • Veux-tu des fraises … une pêche ? • Voici l'arbre … il y a un nid. • Je dirai … je l'ai vu. • Il voudrait un circuit … un jeu vidéo. • C'est le jour … elle a perdu son chien. • Je ne sais pas … mène cette allée. • Le chat dort sur le canapé … sur le lit. • C'est un parc … vivent des oiseaux. • Qui va conduire : toi … lui ?   … /10

la mou**ss**e	le profi**l**	un chapitre	**off**ert
la moi**ss**on	le persi**l**	un cham**p**	**off**rir
un fri**ss**on	le peuple	cham**p**ê**t**re	une **off**re

33 ce, cet, cette, ces

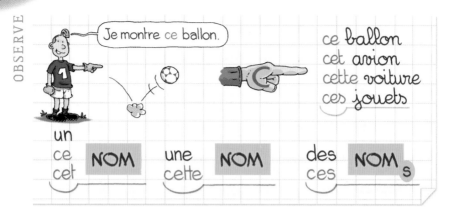

Je montre ce ballon.

ce ballon
cet avion
cette voiture
ces jouets

un
ce NOM
cet

une NOM
cette

des NOM s
ces

ce, **cet**, **cette** et **ces** accompagnent le nom. Ils expriment l'idée de montrer : ce *ballon*.

- Après **ce** et **cet**, le nom est masculin singulier.
- Après **cette**, le nom est féminin singulier.
- Après **ces**, le nom est au pluriel (masculin ou féminin).

116 **Écris ces groupes du nom en utilisant ce, cet, cette ou ces.**

un arbuste, une aiguille, des grimaces, un apprenti, des boxeurs, un objet, une ouverture, des jeux, un éléphant, un bruit.

Corrigé p. 159 ... /10

117 **Écris ces groupes du nom en utilisant ce, cet, cette ou ces.**

une année, un flacon, l'averse, mon exercice, une alarme, des gens, un oignon, une épée, un espoir, un égout. ... /10

▶**118** **Complète par ce, cet, cette ou ces.**

... ordinateur est puissant. • ... informations sont justes. • ... olive est verte. • Aide ... personne âgée. • ... actrice joue bien. • ... agneau est mignon. • ... écureuil s'est caché dans ... buisson. • ... équipage pilotera ... avion. ... /10

AR ♥

un op**é**ra	le cuir	– aider	un cou**ss**in
une photo	la **c**ire	une aide	la gro**ss**eur
le favor**i**	**c**irer	une **sc**ie	la cui**ss**e

Sophie a gagné : elle a une médaille.

avoir **gagné**   avoir une médaille

Où veux-tu aller ?
Quand iras-tu ?
Tu arrives à quoi faire ?
Tu penses à qui ?

à la piscine.
à huit heures.
à plonger.
à mon moniteur.

- **a** (sans accent) est la 3ᵉ personne du singulier du verbe *avoir* au présent de l'indicatif *(elle a une médaille)* ou de l'auxiliaire *avoir* d'un verbe au passé composé *(elle a gagné)*.

- **à** (avec accent) est un petit mot invariable comme *de, en, dans, par, pour, sur...* .

119 **Pour chaque phrase, trouve l'expression construite avec avoir.**

Ex. : *Il a mangé du chocolat.* → *avoir mangé.*
    Elle a une jolie maison. → *avoir une maison.*

Ma grande sœur a quinze ans. • Le loup a de grandes dents. • Il n'a plus mal à la tête. • La radio a annoncé du verglas. • A-t-elle encore faim ? • Il n'a pas pris le train. • Cette personne a trois enfants. • Elle ne m'a rien donné. • On a de la chance. • Mamie a repassé le linge.

Corrigé p. 159   ... /10

120 **Avec les mots de gauche et les mots sur fond bleu, écris des expressions avec à.**

Ex. : *une jupe + volants* → *une jupe **à** volants.*

une jupe	une corbeille	tricoter	oxygène
un coffre	une chemise	jouets	papier
une cuillère	une boîte	rayures	volants
un fer	une crème	dents	soupe
une aiguille	une brosse	repasser	outils
un masque			bronzer

Corrigé p. 159   ... /10

121 Complète par a ou à, puis souligne ce qui t'a fait choisir a.

Ex. : *Il ... un pyjama ... rayures.* → *Il **a** un pyjama **à** rayures.*

Tom ... peu d'argent. • Ils sont allés ... la fête. • Ma grand-mère vit ... Nancy. • Cette cabane n'... plus de porte. • ...-t-elle un stylo ? • On ... de la peine. • Il faudra partir ... la tombée de la nuit. • C'est ... moi. • Martin ... son nom sur la liste des gagnants. • Il courut d'un bout ... l'autre du wagon.

Corrigé p. 159   ... /10

122 En informatique, le signe @ indique l'endroit où l'on envoie un message. Remplace-le par à ou au (= à le) dans ces phrases.

Allez chercher le document @ la mairie. • Ils aimeraient aller @ Japon. • Donnez mon courrier @ la gardienne. • Vous irez vous asseoir @ huitième rang. • Livrez ce paquet @ monsieur Dupont.

Corrigé p. 159   ... /10

123 Pour chaque phrase, écris l'expression construite avec avoir ou le groupe de mots qui commence par à.

Ex. : *Elle a reçu un colis.* → ***avoir** reçu.*
    Elle est allée à la poste. → ***à** la poste.*

Il attendait à l'angle de la rue. • On grimpait à cet arbre. • Elle a envie de réussir. • Il se rendit à la banque. • Pierre a les yeux bleus. • Le tableau aide à comprendre la règle. • A-t-elle encore de la fièvre ? • On lui a signalé une erreur. • Il utilisait à la fois des clous et des vis. • Elle a du courage.

... /10

124 Complète par a ou à, puis souligne ce qui t'a permis de répondre.

Cette vieille voiture ... le moteur ... l'arrière. • Elle jouait avec un pistolet ... eau. • Cet élève pense toujours ... vérifier ses opérations. • Le cerf broutait ... la lisière du bois. • Elle continuait ... bavarder. • Papa m'... donné une lettre ... poster. • Jean ... appris ... naviguer.

... /10

AR ❤	étudier	une année	une mèche	infini
	un étudiant	une époque	un manège	infiniment
	un fortifiant	gras	un modèle	la faim
	un instant	un coup	un buisson	la famine

ce / se

ce chat

un chat

ce NOM

Il se lave.

se laver

se VERBE

- **ce** accompagne un nom masculin singulier. Il exprime l'idée de montrer : *un chat, ce chat.*
- **se** fait partie d'un verbe pronominal. Dans *il se lave*, il y a le verbe *se laver.*

125 **Écris le verbe de chaque phrase à l'infinitif.**

Ex. : *On se lave chaque jour.* → *se laver.*

Mes parents se couchaient tôt. • Julie se déplace à vélo. • On se rencontra dans une rue de Montréal. • Les enfants se mirent en route. • Ils se chauffent au gaz. • Il se plaît dans cette nouvelle école. • Lucas se croit toujours le plus fort. • Le chat et le chien se cachaient sous la table. • Adeline se servit la première. • On se pique les jambes dans ces buissons.

Corrigé p. 159 ... /10

126 **Écris ces groupes du nom au singulier.**

Ex. : *ces fauteuils de cuir* → *ce fauteuil de cuir.*

ces châteaux forts
ces tableaux modernes
ces filets de pêche
ces jeux de société
ces microbes dangereux

ces refrains célèbres
ces déchets agricoles
ces bruits de moteur
ces tricots de laine
ces grands écrans

Corrigé p. 159 ... /10

127 Complète par **ce** ou **se**, puis écris ce qui t'a permis de répondre.

Ex. : *Prends ... sac vert.* → *Prends **ce** sac vert.* → *ce sac.*

... microscope est bien réglé. • Elle ... peigne avec soin. •
Je connais bien ... cavalier. • Donne-moi ... fil de fer. •
Ils ... sentent fatigués. • J'aime ... feuillage d'automne. •
Il faut qu'on ... suive bien si on ne veut pas ... perdre. •
... crocodile semble dormir. • ... flacon contient de l'eau
oxygénée.   Corrigé p. 159   ... /10

128 Écris ces phrases en mettant chaque fois le pronom sujet
et le pronom complément à la 3ᵉ personne du singulier
(il, elle ou on).

Ex. : ***Je me*** *dépêche car il est tard.* → ***On se*** *dépêche car il est tard.*

Je me soigne bien. • Nous nous mettons à courir. •
Je me décide à partir. • Tu te tiendras prêt pour huit
heures. • Nous nous retrouverons lundi.   ... /5

129 Complète par **ce** ou **se**, puis souligne ce qui t'a permis de répondre.

On ... promenait chaque soir au clair de lune. • Il ... lève tard
le dimanche. • ... mois de novembre est pluvieux. •
Qui a perdu ... ruban ? • Les chiens ... sont regardés à travers
la porte vitrée. • J'ai acheté ... manteau à Paris. • Je n'aime pas
... masque. • Le professeur ... retourna et nous aperçut. •
Connais-tu ... policier ? • Le vernis de ... parquet est
encore frais.   ... /10

130 Réponds par **vrai** ou par **faux**. Écris chaque fois un exemple pour
justifier ta réponse.

1. On peut rencontrer **se** juste avant un nom.
2. Au pluriel, **ce** devient **ces**.
3. **se** fait partie d'un verbe pronominal.
4. Avant l'auxiliaire *être*, **se** devient **c'est**.
5. Le petit mot **ce** exprime l'idée de montrer.   ... /10

le prochain	une étoffe	un déchet	déclarer
le lendemain	un chiffon	un secret	une déclaration
un refrain	un coffre	un crochet	composer
le bain	un coffret	un buffet	une composition

36 se, s'est

Il se baigne.
se baigner

Il s'est baigné.
se baigner

se
s'est VERBE

- **se** fait partie du verbe pronominal.
  Dans *il se baigne*, il y a le verbe *se baigner*.
- **s'est** fait aussi partie d'un verbe pronominal.
  Dans *il s'est baigné*, il y a aussi le verbe *se baigner*.

131 **Complète les verbes dans chaque colonne.**

infinitifs		*en ce moment...*		*hier...*
se moquer	→	on se moque	→	on s'est moqué
se rappeler	→	il se rappelle	→	il ... ...
... ...	→	il se prépare	→	il ... ...
s'arrêter	→	il	→	il ... ...

Corrigé p. 159 ... **/10**

132 **Écris les verbes à l'infinitif.**

Ex. : *Il s'est trompé d'étage.* → *se tromper.*

Elle s'est retournée. • Il ne s'est pas regardé ! • Mes frères se sont rendus au stade. • Le chien s'est sauvé devant le chat. • Ils se sont cachés sous le bureau. • Il s'est encore disputé avec sa sœur ! • L'animal s'est dressé sur ses pattes arrière. • Elle s'est régalée avec ce gâteau. • Il s'est brûlé avec la bougie. • Elle s'est réveillée à dix heures.

Corrigé p. 159 ... **/10**

PAR ❤

se régaler	un objet	s'étirer	la direction
se marier	un duvet	s'empresser	la récréation
se pencher	un navet	se consoler	une soustraction

37 son / sont

■ **son** accompagne un nom au singulier. Il exprime une idée de possession : *son cartable, c'est le sien.*

■ **sont** est la 3ᵉ personne du pluriel du verbe *être* au présent de l'indicatif (ou de l'auxiliaire *être* d'un verbe au passé composé).

133 **Complète par son ou sont et souligne ce qui t'a permis de répondre.**
Ex. : *Il a déchiré … anorak. → Il a déchiré **son** anorak.*

Il regarde … ombre. • Ils … partis très tôt. • Elles … capables de soulever ce poids. • Le chat a mangé … morceau de viande. • Où …-ils allés ? • … triangle est bien dessiné. • Le capitaine est fier de … bateau. • À quelle heure les magasins …-ils ouverts ? • Il m'a prêté … marteau. • Les murs … soutenus par des poutres.   Corrigé p. 159 … /10

134 **Réécris ces phrases pour qu'il y ait son ou sont.**
Ex. : *Le coureur est arrivé. → Les coureurs **sont** arrivés.*

Elle n'est pas surprise. • Ses ordinateurs coûtent cher. • La marchandise est sur le quai de la gare. • Ce gâteau est délicieux. • Je ne crois pas à ses histoires.   … /5

AR ♥

un angle	un marteau	le fon**d**	un déli**c**e
un **tri**angle	un mor**c**eau	profon**d**	déli**c**ieux
un marchan**d**	l'**an**cre du bateau	la profon**d**eur	un dra**p**
la marchan**d**ise	une automobile		un dra**p**eau

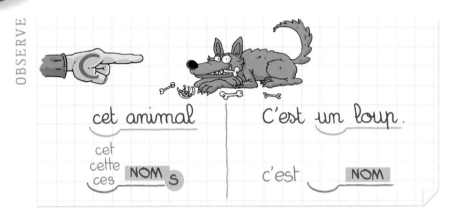

cet animal | C'est un loup.

cet
cette   **NOM** s
ces

c'est   **NOM**

■ **c'est** est suivi d'un groupe du nom qui commence par un déterminant : *c'est un loup.*

■ **cet**, **cette** et **ces** font partie du groupe du nom :
 – **cet** est suivi d'un nom masculin singulier : *cet animal* ;
 – **cette** est suivi d'un nom féminin singulier : *cette louve* ;
 – **ces** est suivi d'un nom au pluriel : *ces loups.*

135 **Complète par c'est, cet, cette ou ces.**

... un chat ... chats ... mon frère ... enfants ... animal

... un animal ... arbre ... un érable ... branches ... pancarte

Corrigé p. 159 ... /10

▶**136** **Recopie en ajoutant c'est, cet, cette ou ces.**

graines, objet, le directeur, question, une graine, feuilles, mon livre, une feuille, une question, livres. ... /10

▶**137** **Remplace les mots en vert par c'est, cet, cette ou ces.**
Ex. : *Voilà le livre que j'ai acheté.* → ***C'est** le livre que j'ai acheté.*

Range **ta** chaise. • **Voici** une lettre urgente. • **Les** poignées de portes sont jolies. • **Son** émission est drôle. • **Voilà** un garçon tranquille. • **Ce sera** mon oncle qui viendra. • **Leurs** ordinateurs sont neufs. • **Sa** pelouse est bien tondue. • Quelle est la taille de **ton** écran ? • Tu crois que **c'était** un faisan ? ... /10

39 tout / tous / toute(s)

OBSERVE

Il a mangé...
tout le gâteau
toute la tarte

tous les biscuits
toutes les fraises

NOM s

Elles sont toutes venues.
Ils sont (tous) venus.

Ils sont tout chauds.

très
tout à fait
entièrement
INVARIABLE

⚠ toute(s) chaude(s)

RETIENS

■ **tout**, placé avant le groupe du nom, s'accorde avec celui-ci. Il peut s'écrire *tout, toute, tous* ou *toutes*.

■ Les pronoms **tous** et **toutes** s'accordent avec ce qu'ils représentent.

■ L'adverbe **tout** a le sens de *très, tout à fait*. Il est placé avant un adjectif et il est invariable. Mais au féminin, on l'accorde si le mot commence par une consonne (ou par un *h aspiré*).

138 **Ajoute tout, tous, toute ou toutes avant chaque groupe du nom.**

le mois	les semaines	mes tiroirs	leurs affaires
la matinée	ces temps-ci	ses histoires	nos feutres
les jours	mon placard		

Corrigé p. 160 ... /10

▶ **139** **Complète ces phrases par tout, tous, toute ou toutes.**

Je resterai ... la soirée. • Ils étaient ... à l'école. • J'ai lu ... ces livres. • Elle a trouvé ... les solutions. • Bébé est ... nu. • ... les voitures sont arrêtées. • ... mon travail est terminé. • Ils y vont ... les dimanches. • C'est ... naturel. • ... les prix sont marqués.

... /10

AR ♥

un parc	l'est	soi**x**ante	la justi**ce**
un bloc	l'ou**est**	soi**x**ante-dix	se justifier
un choc	le clima**t**	souligner	justement
un truc	un pic	utiliser	se procurer

OBSERVE

RETIENS

- **c'est** est suivi d'un groupe du nom, d'un pronom ou d'un adjectif.
- **s'est** est suivi du participe passé d'un verbe.
- **sais** et **sait** sont des formes conjuguées du verbe **savoir**, au présent de l'indicatif : *je sais, tu sais, il sait.*
- **ses** fait partie d'un groupe du nom au pluriel.

140 **Souligne les mots qui justifient l'emploi de c'est. Indique s'il s'agit d'un groupe du nom, d'un pronom ou d'un adjectif.**

Ex. : *C'est lui le premier.* → *C'est lui le premier. (pronom)*

Dans huit jours, c'est l'automne. • C'est important de lire le mode d'emploi. • C'est elle qui vous téléphonera. • C'est ma meilleure amie depuis longtemps. • Il trouve que c'est pénible de travailler dans le bruit.   Corrigé p. 160 ... /5

141 **Écris l'infinitif des verbes employés avec s'est.**

Ex. : *Comme d'habitude, il s'est encore levé tard.* → *se lever.*

Julie s'est rendue au parc. Elle s'est promenée avec le chien. Il s'est mis à aboyer après un chat qui s'est sauvé.
En revenant, Julie s'est trompée de chemin. Quand elle est rentrée, elle s'est arrêtée devant moi. Elle s'est excusée, puis elle s'est assise. Elle s'est ensuite tournée vers sa mère et lui a demandé : « Que s'est-il passé pendant mon absence ? »   Corrigé p. 160 ... /10

142 **Observe ce qui est souligné, puis complète par c'est, s'est ou sait.**

Mon frère ... déjà lire. • Il ... précipité vers son grand-père. •
Comme ... triste ! • Est-ce qu'elle ... mon nom ? •
... un joueur redoutable. • L'enfant ... réfugié contre
les jambes de sa mère. • Regarde : ... ton portrait ! •
Elle ... décidée à jouer avec nous. • ... mon cousin qui a
raison. • Paul ... conjuguer tous les verbes au présent.

Corrigé p. 160   ... /10

143 **Ajoute c'est ou ces avant chaque groupe de mots.**

Ex. : *distributeurs de billets* → ***ces*** *distributeurs de billets.*
    un temps pluvieux → ***C'est*** *un temps pluvieux.*

jeunes gens • leur grand-père • notre adresse • volets verts •
oiseaux sauvages • une alarme • une fenêtre coulissante •
recettes de cuisine • mon dessert préféré • grandes affiches.

... /10

▶144 **Complète ces phrases par c'est, ces ou ses.**

À qui sont ... clés ? • ... oreilles sont propres. • ... chutes
de neige font la joie des skieurs.• Ce sont ... chaussures,
il les met tous les jours. • ... très désagréable ! • ... étoiles
sont très loin de la Terre. • ... une ancienne ligne de chemin
de fer. • Je crois que ... nuages annoncent la pluie. •
Elle joue souvent avec ... frères. • ... un étourdi !

... /10

▶145 **Complète ces phrases par c'est, s'est, ces, ses, sais ou sait.**

Le couturier a retrouvé ... ciseaux. • ...-elle jouer du piano ? •
Le boxeur ... relevé avec peine. • Ma grand-mère a toujours
... lunettes sur le nez. • Il ... trompé de route. • Regarde
bien : ... très simple. • Elle ... mise à nager. • ... encore moi
qui viens vous voir. • Je ne ... plus ce qu'il a dit. • Tous ...
bâtiments forment le ministère.

... /10

mentir	blon**d**	br**un**	cinqu**a**nte
cr**ain**tif	sour**d**	brune	cinqu**a**ntième
instructif	lour**d**	une coutume	cinqu**a**ntaine
le relief		un flocon	un p**ei**gne

AR

73

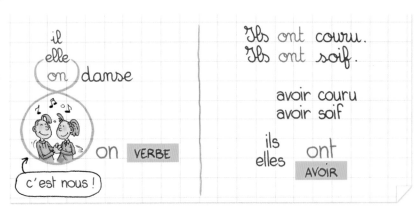

- **on** est un pronom personnel, à la 3ᵉ personne du singulier, comme **il** ou **elle**.

- **ont** est la 3ᵉ personne du pluriel du verbe *avoir* au présent de l'indicatif (ou de l'auxiliaire *avoir* d'un verbe au passé composé).

146 **Lis les expressions avec avoir, puis complète les phrases.**

Ex. : *avoir joué* → *Les enfants n'**ont** pas joué longtemps.*

avoir faim	→	Les chats ... vraiment très faim.
avoir voulu	→	Elles n'... pas voulu goûter.
avoir l'air	→	Les garçons ... l'air très joyeux.
avoir glissé	→	Pourquoi ...- ils glissé ?
avoir gagné	→	Elles n'... pas encore gagné la course.

Corrigé p. 160 ... /5

147 **Remplace chaque sujet entre parenthèses par le pronom on.**

Ex. : *(Mon frère) arrivera ce soir.* → ***On** arrivera ce soir.*

(Le guide) nous dit de rester groupés. • *(Il)* a été très applaudi. • *(La vendeuse)* enveloppa le paquet et *(elle)* ajouta un ruban autour. • Au loin, *(le chien)* vit une brebis égarée et *(il)* courut pour la ramener dans le troupeau. • *(Il)* a campé dans le pré. • *(Le garagiste)* a démonté le moteur. • *(Ma mère)* joue du piano. • *(Elle)* nous a signalé un accident.

Corrigé p. 160 ... /10

148 **Complète par on ou ont, puis souligne ce qui t'a permis de répondre.**

... va capturer le chef de l'autre équipe. • Ils ... imprimé ce journal hier. • Les paysans ... fini la récolte. • ... s'approche de la porte du château. • Penses-tu qu'... lui a pardonné ? • Les chiens ... grogné en passant devant la haie. • Ils ... souligné le titre. • Comme ... s'est régalé ! • Les médecins ... soigné les blessés. • Je crois qu'... finira demain.

Corrigé p. 160 ... /10

149 **Écris ces phrases en mettant les verbes entre parenthèses au passé composé de l'indicatif.**

Ex. : *Elles (nager) tous les jours.* → *Elles **ont nagé** tous les jours.*

Ils *(courir)* un mille mètres. • Les chats *(faire)* tomber un couvercle. • Les pompiers *(utiliser)* la grande échelle. • Ils *(longer)* la rivière. • Mes parents *(prévoir)* un pique-nique demain.

Corrigé p. 160 ... /5

150 **Complète par on ou ont, puis souligne ce qui t'a permis de répondre.**

A-t-... reçu la facture du gaz ? • Ils n'... pas encore ouvert la salle. • ... a fini de décharger le camion. • Ils n'... pas vu la fumée. • Quels sont ceux qui ... sali leurs vêtements ? • A-t-... servi le café ? • ... a beaucoup pensé à lui. • ...-ils reconduit les invités à la gare ? • ...-elles tout vérifié ? • Hier, ... lui a proposé le poste d'avant-centre.

... /10

151 **Écris ces phrases en remplaçant les pronoms sujets par le pronom on. Pense à accorder les verbes !**

Ex. : *Vous écrirez les noms en bleu.* → ***On** écrira les noms en bleu.*

J'avançais très vite. • Tu liras les messages tout à l'heure. • Ils sont encore absents. • Elles n'osaient plus bouger. • Pourquoi avez-vous utilisé ce clavier ? • Nous circulons dans une voiture électrique. • Tu n'as pas oublié. • J'ai mal aux dents. • Est-ce que vous avez ouvert le portail ? • Je m'amuse bien !

... /10

AR ♥

économe	signifier	un jeu	le téléphone
économiser	renverser	une bague	la télévision
une dépense	trente	le douzième	un écran
dépenser	une trentaine	une douzaine	un ruban

75

42 leur / leurs

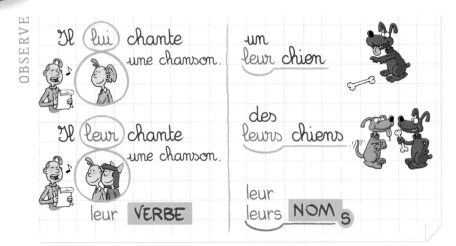

- **leur**, placé avant un verbe, est le pluriel de **lui**.
- **leur(s)** fait partie du groupe du nom. Il exprime l'idée que plusieurs individus possèdent quelque chose :
  – **leur** est suivi d'un nom au singulier ;
  – **leurs** est suivi d'un nom au pluriel.

152 **Remplace un, une ou des par leur ou leurs.**
Ex. : *des jouets → leurs jouets.*
des cahiers, une voiture, une machine, des enfants, une maison, des livres, un résultat, des seaux, un chapeau, des outils.   Corrigé p. 160   ... /10

153 **Remplace leur ou leurs par un, une ou des.**
leurs clés, leur jeu, leur vélo, leurs crayons, leurs bonnets, leur avenir, leurs muscles, leur équipe, leurs photos, leurs qualités.
                                              Corrigé p. 160   ... /10

154 **Enlève leur avant les verbes, puis écris les phrases que tu obtiens.**
Ex. : *Ils leur parlent. → Ils parlent.*
On leur pose des questions. • Je leur pardonnerai. • Il leur ouvre la porte. • On leur montre une carte. • Elles leur offrent du thé. • Elles leur expliquent un problème. • Tu leur annonces la nouvelle. • Ils leur défendent de crier. • Vous leur racontez des histoires. • Tu leur réponds.   Corrigé p. 160   ... /10

155 **Écris leur ou leurs avant chaque nom. Pour quatre noms, il y a deux réponses possibles.**

poème	placard	surnoms	défauts
vêtements	souris	pétales	signature
guitare	cheveux	cousin	matelas
repas	secret	choix	casquette

Corrigé p. 160 ... /20

156 **Complète par leur ou leurs, puis souligne les groupes du nom avec leur(s).**

On ... a volé tous ... papiers. • Je ... ai indiqué la route. • Mes voisins ont perdu ... deux chats. • ... mamie a fait des crêpes. • J'ai écouté ... histoire. • Ils ont fermé ... magasin très tard. • Qui ... a donné le ballon ? • ... vaccins sont dans le réfrigérateur. • On ... a servi des épinards.

Corrigé p. 160 ... /10

157 **Réponds par vrai ou faux, puis donne chaque fois un exemple montrant ce qui est vrai.**

1. le pluriel de **lui** s'écrit **leurs**.
2. On écrit **leur** seulement avant un verbe.
3. **Leurs** se trouve toujours dans le groupe du nom et peut être remplacé par **des**.
4. On peut écrire **leur** avant un nom au singulier.
5. Avant un nom, **leur** indique qu'une chose appartient à plusieurs personnes.

... /10

158 **Complète ces phrases par leur ou leurs.**

Aimez-vous ... appartement ? • Elles ... ont proposé de venir. • Tu ... as prouvé que tu avais raison. • Regardez ... massifs de fleurs. • Les enfants ... jettent à manger. • Qui ... a demandé de jouer ? • ... cousins sont arrivés par le train. • Ils ... ont offert un cadeau. • ... chien ... rapporte toutes les balles.

... /10

AR ♥

un éléphant	une station	l'osier	un bond
une émission	une distraction	le gravier	un foulard
le cassis	une représentation	un rosier	un crapaud
		fruitier	

43 la / l'a / là

OBSERVE

Il **la** donne.
VERBE

Il **l'** a donnée.
avoir donné

⚠ tu l'as donnée.

Il reste **là**.
ici

RETIENS

- Le pronom **la** remplace un groupe du nom. Il est suivi d'un verbe : *je **la** donne = je donne **ma clé***.
- Dans **l'a**, il y a deux mots, **l'** qui remplace un groupe du nom et **a** qui est l'auxiliaire *avoir* : *il **l'a** donnée = il **a** donné **sa clé***.
- **là** est un mot invariable qui désigne un lieu.

159 **Souligne le sujet et le verbe de chaque phrase, puis écris-les.**
Ex. : <u>Romain</u> *l'<u>a appelé</u> après le repas.* → *Romain a appelé.*

Elle l'a aidé toute la journée. • Le bricolage l'a occupé tout le dimanche. • On l'a reposé sur la banquette. • La tempête l'a surpris la nuit. • Il nous l'a offert pour Noël. • Ce grillage, son père l'a posé en deux jours. • On ne l'a pas encore construit. • La grue l'a soulevé sans peine. • Le policier l'a convoqué hier. • Le libraire me l'a commandé. Corrigé p. 160 ... /10

160 **Pour chaque phrase, écris le verbe avoir et le participe passé.**
Ex. : *Il l'<u>a</u> bientôt <u>terminée</u>.* → *avoir terminé.*

Il l'a fendu d'un coup de hache. • On l'a souvent invitée le dimanche. • Ma mère l'a beaucoup félicité de sa réussite. • Il l'a encore cassé en deux ! • Cette histoire, tu ne l'as pas encore racontée. • Le chien l'a entendu arriver. • On me l'a peut-être volé dans le métro. • Il l'a séparé des autres. • Elle l'a aussitôt jeté. • On l'a écouté pendant une heure.
Corrigé p. 160 ... /10

161 **Le pronom la peut toujours s'enlever. Fais-le dans ces phrases, puis écris le groupe sujet + verbe que tu obtiens.**

Ex. : *Corentin la cherche partout.* → *Corentin cherche.*

Je la protège. • Tu la jettes. • Maman la rinçait avec soin. • Ils la soigneront. • On la posera. • Elle la répare. • Je la remercie. • Tu la pèseras. • Thomas la regardait avec envie. • Son propriétaire la réclamera sans doute. Corrigé p. 161 ... /10

162 **Complète ces phrases par là, la ou l'a.**

Ex. : *Je ... vois très souvent.* → *Je **la** vois très souvent.*

Les coureurs arrivent par ... . • Qui veut ... terminer ? • On ... très bien réglée. • Il ... perdue hier soir. • Il ne ... retrouvera peut-être pas. • Ma clé n'est pas ... . • Ils sont montés ...-haut. • Je ... distribuerai bientôt. • Il ne ... pas encore lu. • Qui ... remplacera ? Corrigé p. 161 ... /10

163 **Complète ces phrases par là, la, l'as ou l'a.**

Cette lettre, il faut que tu ... pèses. • Qui ... retourne, cette crêpe ? • De ... jusqu'au collège, il n'y a pas un kilomètre. • Il ... trouvé devant l'école. • Elle ... poussa de toutes ses forces. • Tu ... grondé sans raison. • Est-ce que tu me ... montres, ta calculette ? • Tu ne ... pas reconnue ? • Le chaton est caché ...-dessous • On ... reçue au courrier d'hier. ... /10

164 **Dans ces phrases, imagine ce que peut représenter la ou l'.**

Ex. : *On **la** connaît bien.* → *On connaît bien Caroline.*
   (ou : son adresse, sa tante, sa gentillesse...)

La directrice **la** convoquera dans son bureau. • Grand-père **l'**a mise sous une bâche. • Est-ce que tu **l'**as fait ? • Le soir, il **la** cachait sous son oreiller. • Tu **la** poseras sur la table.

... /5

AR ♥

chauffer	lisse	coucher	libérer
chauffeur	une lessive	le couchant	la liberté
un réchaud	la tristesse	un diamant	un prisonnier
une chaudière	blesser	un savant	

Ce vélo est beau mais il est trop grand !

← mais →

Il met sa veste.

je, tu mets
il, elle, on met

mettre

Ce sont mes chats.

les miens

- **mais** marque une opposition entre deux choses ou deux idées : *beau mais trop grand.*

- **mets** et **met** sont des formes conjuguées du verbe **mettre** : *je mets, tu mets, il met.*

- **mes** fait partie d'un groupe du nom au pluriel. Il exprime l'idée de possession : *mes chats, ce sont les miens.*

165 **Complète ces phrases par mais, mets ou met.**

Il est petit, ... il est malin. • Je ... la table. • Il ... ses mains derrière le dos. • Ce matin, le soleil brille, ... il fait froid. • Est-ce que tu ... le chauffage ? • Nous verrons, ... il faut d'abord manger. • Maman se ... parfois en colère. • Vas-y, ... ne tombe pas ! • Il ... le réveil à l'heure exacte. • Ce cactus est beau, ... il pique !   Corrigé p. 161 ... / 10

166 **Complète ces phrases par mais, mes, mets ou met.**

Je suis content de ... notes. • Ce n'est pas sa faute, ... la mienne. • Je me ... à travailler. • Il ... dix minutes pour aller à l'école. • ... pourquoi voulez-vous déménager ? • ...-on cette lettre à la poste ? • La pièce était petite, ... claire. • Pourquoi ...-tu un tapis sur la moquette ? • ... oiseaux chantent bien. • La mer était mauvaise, ... il n'a pas eu peur.   ... / 10

45 quel(s), quelle(s) / qu'elle(s)

OBSERVE

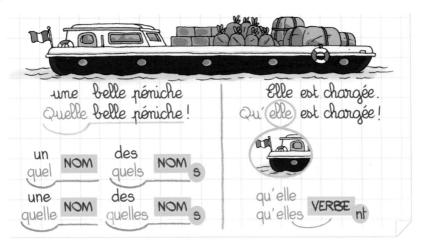

une belle péniche
Quelle belle péniche !

Elle est chargée.
Qu'elle est chargée !

un
quel **NOM**

des
quels **NOM** s

une
quelle **NOM**

des
quelles **NOM** s

qu'elle
qu'elles **VERBE** nt

RETIENS

- **quel** est dans le groupe du nom. Il s'accorde en genre et en nombre avec le nom : *quelle péniche, quelles péniches, quel bateau, quels bateaux.*

- **qu'elle** est formé de *que* et du pronom personnel *elle* au singulier (ou *elles* au pluriel). Il est suivi d'un verbe.

167 **Remplace un, une, des par quel, quelle, quels ou quelles.**

un masque, des manteaux, des chaises, une chanson, des bruits, une étoffe, des bougies, une grimace, des virages, une avalanche.
Corrigé p. 161 ... /10

168 **Écris chaque verbe *en italique* avec son sujet.**
Ex. : Qu'elle *chante* bien ! → elle chante.

Je crois qu'elle *est partie.* • Il est probable qu'elle *attendra* un moment. • Penses-tu qu'elles *resteront* avec nous ? • Je suis sûr qu'elles *s'amusent* beaucoup. • Zoé a dit qu'elle *rentrait* tard. • Je souhaite qu'elle me *donne* des leçons de piano. • Qu'elle *est* douce, cette infirmière ! • Il faut qu'elle *achète* le journal. • Il paraît qu'elles *savent* nager. • Qu'elle *était* jolie !
... /10

PAR

quarante	la **qua**lité	prier	lier
quatorze	la république	une pri**è**re	un lien

OBSERVE

un outil
un marteau   un [NOM]

des outils
des marteaux   des [NOM] S / X

⚠ un / des bois   une / des noix

un sac de cuir
(du cuir)

un sac de billes
(des billes)

RETIENS

■ En général, le pluriel se marque par la lettre **s** (ou la lettre **x**).

■ Si le nom singulier se termine par **s**, **x** ou **z**, il ne change pas au pluriel.

■ Après la préposition **de**, un nom peut être au singulier ou au pluriel, suivant le sens.

169 **Complète par le pluriel, si c'est nécessaire.**

un jeu de carte... • une tasse de thé... • des verres de lait... • des paquets de bonbon... • une veste de laine... • un kilo de cerise... • une boîte d'allumette... • un groupe d'enfant... • des pommes de terre... • une collection de timbre... .

Corrigé p. 161 ... /10

170 **Complète par le pluriel, si c'est nécessaire.**

un fil de fer... • un chemin de terre... • un carton de bouteille... • un bouquet de fleur... • des tranches de jambon... • des sacs de charbon... • une assiette de frite... • des tas de pierre... • des vers de terre... • une boîte de haricot... .

... /10

▶**171** **Écris ces noms au singulier.**

des achats, les poings, des compas, les prix, ses rubans, les clients, ces curieux, des filets, des tas, des Français. ... /10

PAR ♥

une **ombre**   le repo**s**   une fente   une grima**ce**
du j**am**bon   se reposer   fendre   grima**cer**

le pluriel des noms (2)

OBSERVE

| un noyau | un —au | un journal | un —al |
| un cadeau | —eau | un travail | —ail |

| des noyaux | des —aux | des journaux | des —aux |
| des cadeaux | —eaux | des travaux | |

⚠ **sauf** : des landaus.

⚠ **sauf** : des bals, des chacals, des carnavals, des détails, des portails, des rails.

RETIENS

■ Les noms terminés au singulier par **-au** et **-eau** s'écrivent au pluriel avec un **x** : *des noyaux, des cadeaux.* Sauf : *des landaus.*

■ Les noms terminés au singulier par **-al** ou **-ail** s'écrivent **aux** au pluriel : *des journaux, des travaux.* Sauf : *des bals, des chacals, des carnavals, des détails, des portails, des rails…*

172 Écris les noms de gauche au pluriel, et ceux de droite au singulier.

un berceau	un tribunal	des bocaux	des cristaux
le signal	le carnaval	les drapeaux	des tonneaux
un noyau		les préaux	

Corrigé p. 161 ... / 10

173 Écris ces noms au pluriel.

un château, le métal, un détail, un hôpital, un manteau, le portail, un terminal, un vitrail, un chacal, un éventail.

Corrigé p. 161 ... / 10

▶**174** Écris ces noms au pluriel.

un travail, un canal, un rail, l'émail, un rideau, un total, un landau, un bal, un épouvantail, un agneau. ... / 10

PAR ♥

un cout**eau**	le centre	ber**c**er	le tribunal
un cad**eau**	central	un ber**c**eau	principal
un mant**eau**	le nouv**el** an	une ber**c**euse	un signal
un drap**eau**	nouv**eau**	un palai**s**	signaler

le pluriel des noms (3)

OBSERVE

RETIENS

- Les noms terminés au singulier par **-eu** s'écrivent au pluriel avec un **x** : *un jeu, des jeux*.
Sauf : *des pneus, des bleus.*

- Les noms terminés au singulier par **-ou** s'écrivent **ous** au pluriel : *un clou, des clous.*
Sauf : *des bijoux, des cailloux, des choux, des genoux, des hiboux, des joujoux, des poux.*

175 **Complète ces noms soit au singulier, soit au pluriel.**

un chev..., des cheveux | un égout, des ég... | un trou, des tr...
un neveu, des nev... | un jeu, des j... | un feu, des f...
un nœ..., des nœuds | un bœuf, des bœ... | la joue, les j...
mon gen..., mes genoux |

Corrigé p. 161 ... / 10

176 **Écris ces noms au pluriel.**

un caillou, un verrou, un cachou, un pneu, un clou, un vœu, un matou, le lieu, un fou, un pou.

Corrigé p. 161 ... / 10

▶ **177** **Écris ces noms au pluriel.**

un kangourou, un adieu, un écrou, un hibou, un coucou, un aveu, un chou, un bijou, un bleu, un sou.

... / 10

PAR ♥

un chev**eu** | un mus**ée** | bo**x**er | un plat**eau**
la chev**e**lure | une ép**ée** | la bo**x**e | un rid**eau**
le pré**au** | une épidémie | un bo**x**eur | un roul**eau**

49 le féminin des noms

un homme — une femme

un ami — une amie
un chanteur — une chanteuse
un acteur — une actrice
un Canadien — une Canadienne
un Belge — une Belge

■ Un nom est masculin ou féminin. Il est masculin si on peut le faire précéder de **un**. Il est féminin si on peut le faire précéder de **une**.

■ Le féminin est souvent différent du masculin correspondant : *un homme, une femme*. Parfois, on ajoute simplement un **e** au masculin : *un ami, une amie*.
Le féminin peut aussi s'écrire comme le masculin.

178 **Complète ces noms au masculin ou au féminin.**

un berger, une berg...   le pays..., la paysanne
un dans..., une danseuse   le nouveau, la nouv...
un invité, une invit...   un fais..., une faisane
un nageur, une nag...   un chien, une ch...
un moniteur, une monit...   un gagnant, une gagn...

Corrigé p. 161   ... /10

179 **Écris le féminin de ces noms.**

un débutant   un enseignant   un comédien
un coiffeur   un spectateur   un Lyonnais
le directeur   un inconnu   un Mexicain
un infirmier   ... /10

▶**180** **Écris le féminin de ces noms.**

un gardien, un joueur, un coq, le boucher, le fils, un Italien, un oncle, un journaliste, un lecteur, un Anglais.   ... /10

Il est rapide.

beau
content
heureux
gros

MASCULIN

Elle est rapide.

belle
contente
heureuse
grosse

FÉMININ

■ Un adjectif est masculin ou féminin selon le mot auquel il se rapporte.

■ Parfois le féminin ne change pas du masculin : *rapide*. Il peut être différent : *beau, belle*. Il s'écrit souvent avec un **e** ajouté au masculin : *contente*. La dernière lettre peut changer *(heureux, heureuse)* ou se doubler *(gros, grosse)*.

181 **Écris au féminin les adjectifs qui sont entre parenthèses.**

une femme *(aimable)* • une histoire *(amusant)* • une liste très *(long)* • une température *(normal)* • la règle *(principal)* • une fille *(blond)* • une écriture *(régulier)* • une pièce *(clair)* • une journée *(pluvieux)* • un devoir *(facile)*. Corrigé p. 161 ... /10

▶ **182** **Complète en utilisant chaque fois l'adjectif *en italique*.**

une question *importante*, un moment ... • un cri *joyeux*, une musique ... • un garçon *souriant*, une fille ... • un accident *mortel*, une blessure ... • une salle *complète*, un train ... • un billet *gratuit*, une place ... • un visage *pâle*, une figure ... • une fille *heureuse*, un enfant ... • un escalier *intérieur*, une cour ... • un agent *secret*, une chose ... . /10

drôle	misérable	la volonté	net
têtu	la misère	volontaire	nettement
curieux	méchant	élégant	tendre
courageux	la méchanceté	l'élégance	tendrement

51 l'accord des adjectifs (1)

RÈGLES

OBSERVE

C'est une jolie chatte grise.

Ses chatons sont amusants.

C'est la chatte qui est jolie qui est grise.

Ce sont ses chatons qui sont amusants.

un
une   NOM ADJECTIF e
des _____ s _____ s

RETIENS

- L'adjectif qualificatif s'accorde toujours avec le nom auquel il se rapporte (avec *ce qui est...*).
- L'adjectif qualificatif s'accorde en genre (masculin ou féminin) et en nombre (singulier ou pluriel).

183 Utilise les adjectifs *en italique* pour compléter ces groupes de mots.

un *gros* melon
une ... fraise
de ... pêches
de ... poires
de ... fruits

un *joli* timbre *bleu*
nos ... livres ...
mes ... images ...
une ... fleur ...

Corrigé p. 161 ... /10

184 Trouve dix membres de phrases en reliant les noms de gauche aux adjectifs sur fond bleu.

Ex. : *des chemises propres, des chemises usées, etc.*

des chemises
une veste
un manteau
des maillots
des chaussettes

(qui est)
(qui sont)

propres
usées
chaude
bleue

trop court
rouges
neufs

Corrigé p. 161 ... /10

185 Accorde les adjectifs qui sont entre parenthèses.

Ex. : *des yeux (brillant)* → *des yeux brillant**s**.*

des billets *(gratuit)* • une actrice *(connu)* • des jeux *(amusant)* • des enfants *(sage)* • un directeur *(sévère)* • une route *(étroit)* • un buffet *(ciré)* • une chatte *(curieux)* • des cheveux *(sombre)* • une perruque *(noir)*. Corrigé p. 161 ... / 10

186 Complète les phrases en accordant les adjectifs.

Ex. : *Des pluies abondant... arrosent les récoltes.*
→ *Des pluies abondant**es** arrosent les récoltes.*

Il avait les mains plein... d'encre. • Une vendeuse souriant... m'a servi. • Cette personne est très joyeu... . • Dans ce livre, il y a des exercices varié... . • Il vend de la viande très fraî... . • Ce garçon est très bien coiff... . • Ce sont des joueurs modeste... . • Le médecin doit faire deux visites urgent... . • Il a planté des arbres fruitier... . • Ces valises semblent lourd... . ... / 10

▶187 Accorde les adjectifs qui sont entre parenthèses.

des solutions *(possible)* • des freins *(puissant)* • une affaire *(important)* • des chevaux *(craintif)* • des aiguilles très *(pointu)* • des cerises bien *(mûr)* • des personnes *(actif)* • des colliers *(doré)* • des lionnes *(affamé)* • une nuit *(étoilé)*. ... / 10

▶188 Accorde les adjectifs qui sont entre parenthèses.

J'aime la compote peu *(sucré)*. • Il habite le long d'une avenue *(bruyant)*. • Maman n'aime pas les sports *(violent)*. • Nos *(nouveau)* voisines sont *(charmant)*. • Quelle *(beau)* pelouse bien *(vert)* ! • Ces buissons sont très *(touffu)*. • Le sentier disparaissait sous une *(épais)* végétation. • Les fêtes *(scolaire)* ont toujours du succès. ... / 10

serviable	primaire	généreux	la police
un service	ordinaire	dangereux	un policier
une serviette	ivre	pluvieux	le danger
servir	l'ivresse	nombreux	

52 l'accord des adjectifs (2)

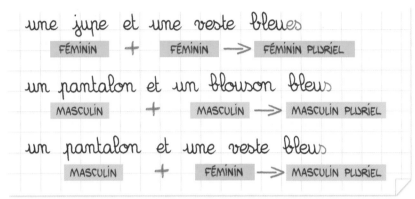

une jupe et une veste bleues
FÉMININ + FÉMININ ⟶ FÉMININ PLURIEL

un pantalon et un blouson bleus
MASCULIN + MASCULIN ⟶ MASCULIN PLURIEL

un pantalon et une veste bleus
MASCULIN + FÉMININ ⟶ MASCULIN PLURIEL

■ Un adjectif qui se rapporte à plusieurs noms est au pluriel :
– au féminin pluriel si tous les noms sont féminins ;
– au masculin pluriel si tous les noms sont masculins ;
– au masculin pluriel si l'un des noms est masculin.

189 Écris toutes les expressions possibles en reliant les noms de gauche aux adjectifs sur fond bleu.

un homme et une femme
un boulanger et un boucher
une mère et une sœur
une voisine et un voisin

polis   gaies
serviables
gentilles   souriantes

Corrigé p. 162   ... /10

▶ **190** Écris les dix phrases possibles avec ces adjectifs, sans changer leur orthographe : **drôles, passionnants, intéressantes, instructifs**.
Ex. : *Cette histoire et ce conte sont **drôles**.*

Cette histoire et ce conte sont ... .
Ce film et ce roman sont ... .
Cette légende et cette histoire sont ... .
Cette aventure, ce reportage et cette enquête sont ... . /10

PAR ♥

capable   mou   glisser   puissant
adorable   molle   glissant   la puissance
    religieux   charmant   une glissade   gagner
une religion   chauve   le gagnant

OBSERVE

Un animal ne parle pas.

Les animaux ne parlent pas.

Penses-tu qu'ils nous comprennent ?

RETIENS

■ Le verbe s'accorde toujours avec son sujet. Si le sujet est au singulier, le verbe est au singulier. Si le sujet est au pluriel, le verbe est au pluriel.

■ Le sujet d'un verbe peut être séparé du verbe par une négation.

■ Le sujet d'un verbe peut être placé après le verbe.

191 **Écris toutes les phrases possibles avec ces sujets et ces verbes.**
Ex. : *Elle + ne joue pas → Elle ne joue pas.*

Elle	On	ne jou**e** pas.
Il	Ma sœur	ne s'amus**ent** plus.
Elles	Mes camarades	ne pleur**e** jamais.
Ils		

Corrigé p. 162   ... / 10

192 **Complète en accordant chaque verbe avec son sujet.**
Ex. : *Ils ne signal... pas le danger. →* **Ils** *ne signal**ent** pas le danger.*

Mes frères ne chant... pas faux. ● De sa chambre, on pouvai... voir la mer. ● Les élèves ne bavard... plus en classe. ● Mon chat n'attrap... jamais de souris. ● Des trains de banlieue emmèn... les travailleurs à Paris. Corrigé p. 162   ... / 5

193 **Complète en accordant chaque verbe avec son sujet.**

Elles ne savai... pas qu'ils avai... apporté des fleurs. ● Que vous demand...-ils ? ● On ne mang... pas encore. ● Ces acteurs de théâtre jou... bien. Corrigé p. 162   ... / 5

194 Écris toutes les phrases possibles avec ces sujets et ces verbes.

Chaque chien   Quelques chats   mange.
Toutes les poules   Leur chat   mangent.
Mes chiens   Plusieurs canards   courent.

Corrigé p. 162   ... / 10

195 Complète en accordant chaque verbe avec son sujet.

Ces pierres ressembl... à des diamants. • Il n'avai... pas fini. •
Ses enfants ne regard... pas la télévision. • Étai...-elles déjà
arrivées ? • Ils couch... dans la même chambre. • Elles ne
cour... pas vite. • Ces insectes suc... la sève de la plante. •
Les arbres pliai... sous le vent. • Où étai...-il donc passé ? •
Tes histoires ne m'amus... pas.   Corrigé p. 162   ... / 10

196 Accorde chaque verbe avec son sujet, au présent de l'indicatif.
Ex. : *Elles ne (manger) pas de riz.* → *Elles ne mang**ent** pas de riz.*

L'averse nous *(empêcher)* de sortir. • Que *(se raconter)*-ils ? •
Ils ne *(protester)* jamais. • Des rideaux *(décorer)* le salon. •
Les branches *(se courber)* sous le poids de la neige. • Ces
reproches ne *(se justifier)* pas. • *(Enseigner)*-t-on le chinois
dans ce collège ? • *(Se marier)*-ils bientôt ? • Ce canif ne
(couper) plus. • Elles n'*(avancer)* pas vite.   ... / 10

197 Accorde chaque verbe avec son sujet, à l'imparfait de l'indicatif.
Ex. : *Ils ne (vouloir) pas courir.* → *Ils ne voul**aient** pas courir.*

Les cartes *(se ranger)* dans le tiroir. • Son chat ne *(penser)*
qu'à dormir. • Des bruits curieux *(venir)* de la vieille
maison. • Les voitures ne *(rouler)* plus. • Certains élèves
(prendre) le train. • Ils n'*(écouter)* jamais la radio. •
Elle me *(demander)* d'écrire. • Quand *(partir)*-ils pour Lille ? •
Mes sœurs n'*(aimer)* pas la musique. • Elle ne *(dîner)* pas tard.

... / 10

PAR ❤

invit**er**	plaire	poli	changer
une invit**ation**	déplaire	poli**ment**	informer
un invit**é**	pla**c**er	la politesse	une inform**ation**
	dépla**c**er	une in**j**ure	une rel**ation**

54 l'accord sujet-verbe (2)

OBSERVE

RETIENS

- Quand un verbe a deux sujets au singulier, il est au pluriel.
- La place du sujet ne change pas l'accord : le sujet peut être séparé du verbe, souvent par un pronom.

198 **Écris toutes les phrases possibles avec ces sujets et ces verbes.**

Il		les pos**e**.
Elles	Ils	la pos**e**.
On	Elle	les pos**ent**.
		la pos**ent**.

Corrigé p. 162 ... /10

199 **Complète en accordant chaque verbe avec son sujet.**

Ex. : *Maman et papa m'écout... . → Maman et papa m'écout**ent**.*

Je leur souhait... un bon voyage. • Les garçons se tenai... en équilibre sur le mur. • Mon camarade riai... . • Pierre et Paul avai... pris leur vélo. • Elle les écout... attentivement.

Corrigé p. 162 ... /5

200 **Complète en accordant chaque verbe avec son sujet.**

C'est la lumière qui les attir... . • Charlotte et Marie repart... souvent à pied. • Elles la regard... en souriant. • La surprise les rendai... muets. • Je les rencontr... chaque matin en allant à l'école.

Corrigé p. 162 ... /5

201 Complète en accordant chaque verbe avec son sujet.

Un homme et une femme marchai... devant moi. • Les gens dorm..., fatigués par le voyage. • Ses parents la tenai... par la main. • Sa mère le consol... . • Mathis et Nathan fêt... leurs dix ans. • Tu le pos... sur la table. • Il les détachai... avec soin. • Les garçons la clou... sur la porte pour que les visiteurs puiss... la lire. • L'enfant et le chien aim... rester ensemble.

Corrigé p. 162   ... /10

202 Écris les phrases que tu obtiens en reliant ces sujets et ces verbes.

Mon frère
Mes amis
Ma sœur
Le chat
Les élèves

les aim**e**.
la mang**ent**.
le prépar**ent**.
les goût**e**.

... /10

203 Écris les verbes en italique au présent. Accorde-les bien !

Mon frère et ma sœur *(jouer)* ensemble. • Les spectateurs *(porter)* une casquette. • Je les *(changer)* quelquefois de place. • Grand-père et grand-mère *(habiter)* Bordeaux. • Est-ce que je les *(rincer)* à l'eau chaude ? • C'est Arthur qui les *(délivrer)*. • On les *(obliger)* à passer par là. • Mon oncle et ma tante *(partir)* en vacances. Je les *(aider)* à préparer leurs bagages. • Des ouvriers, engourdis par le froid, *(traverser)* la cour.

... /10

204 Parmi ces sujets, lesquels peux-tu écrire avant : lui offrent un cadeau ? Écris les phrases obtenues.

ses parents • on • grand-mère et grand-père • sa tante • ma grande sœur • ses camarades de classe • son meilleur ami • les voisins du troisième • Le commerçant • les professeurs.

... /5

une gravure	adieu	soupirer	cra**qu**er
une garniture	le milieu	un soupir	un cra**qu**ement
dispos**er**	la colère	signer	gouverner
la dispos**ition**	violet	une signature	un gouvernement

93

l'accord du participe passé avec **être**

Sophie est allée au cirque.

Les clowns sont tombés dans l'eau.

C'est elle qui est allée. Ce sont les clowns qui sont tombés.

être + **participe passé**
auxiliaire

e
s
es

RETIENS

■ Le participe passé employé avec l'auxiliaire **être** s'accorde en genre et en nombre avec le sujet du verbe, comme un adjectif.

Plus simplement, on cherche *qui est...* ou *ce qui est...* pour trouver l'accord.

205 **Écris toutes les phrases possibles.**

Elle est		Mon frère est	
Il est	arrivé.	Mes frères sont	parti.
Ils sont	arrivée.	Ma sœur est	partie.
Elles sont	arrivés.	Mes sœurs sont	partis.
Julie est	arrivées.	Mes voisins sont	parties.

Corrigé p. 162 ... /10

206 **Souligne les sujets, puis accorde les participes passés.**

Ex. : *Les cerises seront récolté... demain.*
→ *Les cerises seront récoltées demain.*

Ces bouquets sont composé... avec soin. • Ma gourde est rempli... d'eau de source. • Leurs voitures étaient trop chargé... . • Sa maison est situé... au nord du village. • Deux lions ont été capturé... . • Les murs sont soutenu... par d'énormes poutres. • La robe de la chanteuse a été vendu... aux enchères. • Une deuxième séance est prévu... demain. • Les récompenses ont été bien mérité... . • Il s'est excusé... .

Corrigé p. 162 ... /10

207 **Complète en accordant les participes passés *en italique*.**

Elle a été *(consolé)* par sa sœur. • Ces melons sont *(vendu)* au poids. • Les accusés seront *(jugé)* demain. • L'électricité est *(fourni)* par un barrage. • Elles seront *(choisi)* parmi les meilleures. • Les valises ont été *(oublié)* à l'aéroport. • Les baigneurs sont *(étendu)* sur la plage. • Ce studio est *(occupé)*. • Tous les messages seront *(déchiffré)*. • Ces mots sont *(rayé)*.

Corrigé p. 162 ... /10

208 **Écris les dix phrases possibles en utilisant les participes passés sur fond bleu.**

J'étais	Il fut	invité.
Nous serons	Elle a été	invité**e**.
Ils ont été	Tu seras	invité**s**.
Elles avaient été		invité**es**.

... /10

▶ **209** **Complète en accordant les participes passés *en italique*.**

Les résultats sont *(multiplié)* par trois. • Il est toujours *(servi)* le premier. • L'imprimante a été *(remplacé)*. • Les eaux avaient été *(troublé)* par la tempête. • Les murs seront *(décoré)* avec des dessins. • L'arbitre a été *(blessé)* pendant le match. • Cette huile est *(utilisé)* pour les voitures de course. • Les coureurs sont *(signalé)* près du col. • Les cartons seront *(jeté)*. • Elle est *(couché)* depuis hier.

... /10

▶ **210** **Écris des phrases avec venu, venue, venus ou venues.**

Ex. : *Les gens...* → *Les gens **sont venus**.*

Les gens ...	Le directeur ...	Léo et Julie ...
Une étudiante ...	Des paysans ...	Des artistes ...
Des débutants ...	Lisa et Théo ...	Les danseuses ...
Clara et Anna ...	Le garagiste ...	

... /10

AR ♥

une série	un ova**le**	un charcutier	un râteau
une envie	in**utile**	une charcuterie	un fard**eau**
une pl**aie**	une tuile	définir	un escab**eau**
l'industrie	une fable	une définition	

l'accord du participe passé avec **être** et **avoir**

OBSERVE

être

Sophie est allée en vacances.

avoir

Elle a visité...

C'est elle
qui est allée.

Qu'est-ce
qui est visité ?

Je ne sais pas
ce qui est visité.

RETIENS

- Le participe passé employé avec l'auxiliaire **être** s'accorde en genre et en nombre avec le sujet du verbe : *Sophie est allée*...

- Le participe passé employé avec l'auxiliaire **avoir** ne s'accorde jamais avec le sujet du verbe : *Sophie a visité*...

211 **Écris les dix phrases possibles.**

Elle avait ⎯⎯⎯⎯ arrêtée.
Elle était ⟶ téléphoné. distribués.
Ils ont revenue. abandonné.
Ils sont cherché. soignés.

Corrigé p. 163 ... /10

212 **Accorde les participes passés, si c'est nécessaire.**

Les randonneurs *sont* arrivé... hier soir.
Les randonneurs *ont* campé... dans le pré.

Ces tentes *ont* abrité... des réfugiés.
Ces tentes *sont* utilisé... par des réfugiés.

Il *a* couru... trop vite. Il *est* tombé... .
Elle *est* parti... à midi. Elle *a* oublié... son livre.

Nous *sommes* resté... en panne.
Nous *avons* poussé... la voiture.

Corrigé p. 163 ... /10

213 **Écris toutes les phrases possibles avec ces sujets et ces verbes.**

Les feuilles	est fermé.	est rangée.
Le placard	sont classés.	sont rangées.
L'armoire	sont classées.	sont rangés.
Les dossiers	a servi.	ont disparu.

... / 10

214 **Accorde les participes passés, si c'est nécessaire.**

L'infirmière a secouru... les blessés.
Les blessés sont secouru... .

Deux lapins sont sorti... du chapeau.
Deux lapins ont surgi... du chapeau.

Cette chemise est bien plié... .
Romane a bien plié... cette chemise.

La machine a creusé... une tranchée.
La tranchée a été creusé... à la machine.

Les fleurs sont protégé... du vent par le mur.
Le mur a protégé... les fleurs.

... / 10

215 **Souligne l'auxiliaire avoir ou être, puis accorde le participe passé**
en italique, **si c'est nécessaire.**
Ex. : *Ses outils n'ont (servi) à rien.* → *Ses outils n'<u>ont</u> servi à rien.*

Anaïs a *(coupé)* les cheveux de son frère. • Les manèges
ont *(tourné)* malgré la pluie. • Les montres seront *(réglé)*
avant le départ. • Ses congés sont *(prévu)* en août. •
Laura est *(apprécié)* pour sa gentillesse.

... / 5

216 **Accorde les participes passés *en italique*, si c'est nécessaire.**

Deux lézards sont *(caché)* dans cette fente du mur. •
Une place vous a été *(attribué).* • Sa fièvre a *(baissé)* pendant
la nuit. • Les boissons seront *(distribué)* gratuitement. •
Des feuilles avaient *(bouché)* la grille.

... / 5

l'argen**t**	une bougie	sco**l**aire	seulement
le crédi**t**	une galerie	un sal**aire**	finalement
gratui**t**	une épreuve	un vesti**aire**	brusquement

l'accord du participe passé sans auxiliaire

OBSERVE

Fatiguée par la course, Sophie se repose.
Ses chats ronronnent, blottis sur ses genoux.

C'est Sophie qui est fatiguée.

Ce sont ses chats qui sont blottis.

RETIENS

■ Le participe passé employé sans auxiliaire s'accorde comme un adjectif, avec le nom ou le pronom auquel il se rapporte.

217 **Accorde chaque participe passé. Souligne le nom (ou le pronom) auquel il se rapporte.**

Rincé... avec soin, la laine est plus belle. • La lettre, signé... par tous, partira ce soir. • Les additions, vérifié... à la machine, sont exactes. • Logé... chez nous, ils étaient à l'abri. • Elles parlaient, assis... sur un banc. • Ils s'installèrent ici, ruiné... par la guerre. • Servi... tiède, la tarte était délicieuse. • Faute avoué..., faute à moitié pardonné... . • La caravane, bien chauffé..., sera habitée cet hiver.

Corrigé p. 163   ... /10

218 **Écris ces phrases en accordant les participes passés.**

(Troublé), Sarah ne dit rien. • *(Séparé)* par une cloison, les chambres sont petites. • *(Indigné)*, les gens sifflent. • Il sort la carafe *(rempli)* d'eau. • *(Situé)* au pied des pistes, la ville attire les touristes. • Ces rosiers, *(abrité)* du vent, donnent de belles fleurs. • Très *(affaibli)*, elle se repose. • *(Attiré)* par le bruit, ils descendirent. • Cette terre, bien *(bêché)*, produira davantage. • Le chaton, *(amusé)*, bondit.

... /10

PAR ♥

| picorer | un établi | répéter | un canif |
| dévorer | un étourdi | récolter | en bref |

l'accord du participe passé avec **avoir**

■ Le participe passé employé avec l'auxiliaire **avoir** s'accorde avec *qui est*... ou *ce qui est*... si la réponse a été écrite avant le participe passé.

219 Trace toutes les flèches possibles, puis écris les membres de phrases que tu as obtenus.

Ex. : *l'histoire que maman a lue (c'est une histoire qui est lue).*

l'histoire
les livres
le livre   que maman a
le journal   *(qui est)*
les journaux   *(qui sont)*
les revues

lu
lu**e**
lu**s**
lu**es**

Corrigé p. 163   ... /10

220 Ces participes passés sont employés avec l'auxiliaire avoir. Cherche « ce qui est... » pour les accorder.

Ex. : *la truite qu'il a pêché...* → *pêchée (c'est la truite qui est pêchée).*

les colis qu'il a distribué...
la lettre qu'il a mis... à la poste
la tranchée que nous avons creusé...
la marchandise qu'on a transporté...
le sac qu'elle a pesé...

Corrigé p. 163   ... /5

▶ **221** **Cherche « ce qui est, ce qui a été... » pour accorder ces participes passés employés avec avoir.**

Ex. : *Voici les fleurs que j'ai acheté... .*
→ *Ce sont les fleurs qui ont été achetées.*

Voici la recette que tu as noté... .
C'est le cri qu'ils ont entendu... .
Ce sont les gens que ma voisine a prévenu... .
Regarde les images que j'ai trouvé... .
Ce sont les messages que Béatrice a déchiffré... .

Corrigé p. 163 ... /5

▶ **222** **Trace toutes les flèches possibles, puis écris les membres de phrases que tu as obtenus.**

Ex. : *la fourchette qu'il a lavée.*

la fourchette
les assiettes
les verres   qu'il a   lavé
le plat   *(qui est)*   lavée
la casserole   *(qui sont)*   lavés
la poêle   lavées

... /5

▶ **223** **Complète les participes passés. Cherche toujours « ce qui est... » et vérifie si la réponse est écrite avant pour accorder.**

Tu expédieras les paquets que j'ai préparé... .
Ma sœur a posé... son cartable sur le divan.
J'admire les cadeaux que j'ai reçu... .
Jette les os que le chien a rongé... .
Tous les journaux ont annoncé... leur victoire.
C'est la voiture qu'on a doublé... tout à l'heure.
Ses collègues avaient décidé... de fêter son départ.
Les champignons qu'on a ramassé... sont sur la table.
Il signe les lettres que la secrétaire a tapé... .
Elle a bu... du sirop de menthe.

... /10

PAR ♥   un achat   le jus   une portière   un carré
         une part   un avis   un cimetière   un cercle
         un bout   un repas   le caractère   un couvercle
         un trait   un matelas   une capitale   une cabane

RÈGLES

OBSERVE

Le chat voit la souris. Il bondit : elle se sauve !

> Il s'agit de quoi faire ?

> Qui fait ces actions ?

de voir
de bondir
de se sauver

L'INFINITIF

le chat → il
la souris → elle

LA PERSONNE

je – tu – il, elle, on – nous – vous – ils, elles

RETIENS

■ Quand on écrit un verbe, il faut penser à son infinitif et à la personne à laquelle il est conjugué :
– au singulier : **je** (1re pers.) ; **tu** (2e pers.), **il, elle, on** (3e pers.) ;
– au pluriel : **nous** (1re pers.) ; **vous** (2e pers.), **ils, elles** (3e pers.).

224 **Complète ces verbes à l'infinitif.**

voul... un jouet • mang... un gâteau • prend... le train • fin... son travail • sort... le soir • cour... vite • trouv... la solution • écri... une lettre • recev... des amis • répond... au téléphone.

Corrigé p. 163 ... /10

225 **Écris l'infinitif des verbes *en italique*.**

Il *va* souvent à la pêche. • Vous *dormirez* dans ce lit. • Elle *vient* d'arriver, nous l'*apercevons*. • Je *saurai* faire ce devoir. • Est-ce que tu *seras* prêt ? • Ils *mettent* leurs bottes. • Je n'*ai* pas envie ! • On *éteindra* les bougies. • *Peux*-tu m'aider ? ... /10

226 **Lis les phrases de l'exercice 225, puis écris à quelle personne chaque verbe est conjugué, en t'aidant de l'exemple suivant.**

Ex. : *Elle a découvert un trésor.* → elle, 3e personne du singulier. ... /10

PAR ♥

déchar**ger**	ob**éir**	**ob**tenir	con**cour**ir
débouch**er**	remp**lir**	**pré**venir	un **cour**eur
détach**er**	fleu**rir**	**dé**couvrir	le **cour**ant

OBSERVE

Avant, il était petit. Maintenant, il a dix ans. Plus tard, il sera grand.

Quand cela se passe-t-il ?

PASSÉ ⟶ PRÉSENT ⟶ FUTUR

RETIENS

■ Quand on écrit un verbe, il faut savoir à quel temps il est conjugué :
– si l'action se passe *en ce moment*, le verbe est au **présent** ;
– si l'action *a déjà eu lieu*, le verbe est à un temps du **passé** ;
– si l'action *aura lieu plus tard*, le verbe est au **futur**.

227 **Pour chaque phrase, indique si l'action a lieu dans le passé, dans le présent ou dans le futur.**

Autrefois, on lavait la lessive à la main. • Demain matin, on achètera des cartes postales. • L'an prochain, je t'offrirai un bracelet. • Hier, Karim a veillé très tard. • Mardi dernier, elle était entourée d'admirateurs. • Je chante en travaillant. • Il sera protégé par la police. • Il est parti vers sept heures, ce matin. • La Fontaine écrivit au XVIIe siècle. • Il dessine bien.

Corrigé p. 163   ... /10

▶**228** **L'action de chaque verbe a-t-elle lieu dans le passé, dans le présent ou dans le futur ?**

Le vendeur lui fera une réduction. • On entendit un terrible craquement. • Des curieux veulent le rencontrer. • Ils se marièrent en 2002. • Vous déchargerez le camion ce soir. • Ce local abritera le service informatique. • Le boucher découpe la viande. • Il avait répondu au téléphone. • Les habitants se réfugieront dans les montagnes. • Elle proteste parce que sa voiture est en panne.

... /10

61 · avoir ou être

OBSERVE

AVOIR	ÊTRE	
j'ai je n'ai pas ai-je ?	tu es tu n'es pas es-tu ?	il est elle n'est pas est-on ?
1re personne du singulier	2e personne du singulier	3e personne du singulier

RETIENS

■ **ai**, **es**, **est** sont des verbes conjugués au présent de l'indicatif :
– **ai,** c'est le verbe **avoir** à la 1re personne du singulier ;
– **es**, **est**, c'est le verbe **être** aux 2e et 3e personnes du singulier.

229 **Écris l'expression formée avec être ou avoir.**

Ex. : *Il n'est pas là.* → **être** *là.* • *J'ai travaillé.* → **avoir** *travaillé.*

Cette histoire est amusante. • J'ai rampé sous la table. • Son frère est blond. • Tu n'es pas à l'heure. • Je n'ai pas vérifié l'opération. • Il n'est pas très courageux. • J'ai posé les clés sur la table. • Cet homme est distrait. • Elle est très aimable. • Je n'ai plus assez d'argent. Corrigé p. 163 ... /10

▶ **230** **Complète ces phrases par ai, es ou est.**

Ce paquet ... très lourd. • J'... élevé un lapin au biberon. • Tu n'... pas très soigneux. • Je n'... pas écrit ce poème. • ...-il souvent en retard ? • Antoine ... ravi de ses résultats. • Je n'... jamais vu de chouette. • Le film que j'... regardé n'... pas difficile à comprendre. • Christophe ... généreux. ... /10

PAR ♥

douter	une pri**s**e	clair	un v**eau**
éclater	la fantai**s**ie	claire**ment**	un agn**eau**
une **gu**irlande	un ré**s**umé	en général	un troup**eau**
guider	le be**s**oin	générale**ment**	une loupe

62

les verbes fondamentaux au présent de l'indicatif

	avoir		**pouvoir**		**vouloir**
j'	ai	je	peu**x**	je	veu**x**
tu	as	tu	peu**x**	tu	veu**x**
il	a	il	peut	il	veut
nous	avons	nous	pouvons	nous	voulons
vous	avez	vous	pouvez	vous	voulez
ils	ont	ils	peuvent	ils	veulent

	être		**faire**		**dire**
je	suis	je	fais	je	dis
tu	es	tu	fais	tu	dis
il	est	il	fait	il	dit
nous	sommes	nous	faisons	nous	disons
vous	**êtes**	vous	**faites**	vous	**dites**
ils	sont	ils	font	ils	disent

	voir		**prendre**		**venir**
je	vois	je	prends	je	viens
tu	vois	tu	prends	tu	viens
il	voit	il	prend	il	vient
nous	voyons	nous	prenons	nous	venons
vous	voyez	vous	prenez	vous	venez
ils	voient	ils	prennent	ils	viennent

	savoir		**mettre**		**aller**
je	sais	je	mets	je	vais
tu	sais	tu	mets	tu	vas
il	sait	il	met	il	va
nous	savons	nous	mettons	nous	allons
vous	savez	vous	mettez	vous	allez
ils	savent	ils	mettent	ils	vont

231 Écris les verbes à la 1re personne du singulier (je)
et à la 3e personne du singulier (il, elle ou on) du présent
de l'indicatif.

Ex. : *prendre modèle → je prends modèle, elle prend modèle.*

faire le lit, venir souvent, mettre un cadenas, être drôle,
voir le danger.

Corrigé p. 163   ... /10

232 Écris les verbes *en italique* à la 2ᵉ personne du singulier (tu)
et du pluriel (vous) du présent de l'indicatif.

savoir lire, *vouloir* un jeu, *avoir* des dettes, *prendre* l'air,
aller à reculons. Corrigé p. 163 ... /10

233 Écris les verbes entre parenthèses au présent de l'indicatif,
à la personne qui convient.

Je *(comprendre)* bien la consigne de l'exercice. •
Vous *(refaire)* la peinture des volets ? • Tu *(être)* charmant. •
Nous *(devenir)* raisonnables. • Je *(pouvoir)* arriver en avance. •
Elle *(aller)* jouer le rôle d'une paysanne. • Les lions *(avoir)*
une crinière. • Je *(promettre)* de ne pas bouger. •
Vous *(redire)* encore la même chose ! • Ils *(revoir)* leurs amis
de Grenoble. ... /10

234 Réponds à ces questions sur les verbes fondamentaux
au présent de l'indicatif.

1. Trois verbes ne se terminent pas par **-ez** à la 2ᵉ personne
   du pluriel. Lesquels ?
2. Quel verbe a un **y** dans sa conjugaison ?
3. Quels sont les verbes qui se terminent par **-ont**
   à la 3ᵉ personne du pluriel ?
4. Trois verbes ont une double consonne dans
   leur conjugaison, mais pas dans leur infinitif. Lesquels ?
5. Trois verbes n'ont pas **-t** comme terminaison de la 3ᵉ personne
   du singulier. Lesquels ? ... /10

235 Parmi ces verbes, cinq se terminent par s, s, t aux trois personnes
du singulier du présent de l'indicatif. Lesquels ? Écris-les.

vouloir, défaire, apprendre, remettre, avoir, aller, surprendre,
revoir, contredire, pouvoir, entreprendre, se souvenir. ... /5

deviner	un bu**t**	transporter	punir
de**s**tiner	le brui**t**	le transpor**t**	une punition
désigner	un endroi**t**	un garage	situer
déboucher	un égou**t**	une grange	une situation

AR ❤

En ce moment, je me repose et je réfléchis !

	1er groupe verbes terminés par – er	verbes terminés par – ir , – oir , – re
je	– e	– s
tu	– es	– s
il, elle, on	– e	– t
nous	– ons	
vous	– ez	
ils, elles	– ent	

⚠ Verbes du 2e groupe : nous _issons, vous _issez, ils _issent.

■ Les terminaisons du présent de l'indicatif aux trois personnes du singulier dépendent de l'infinitif du verbe :
– **-e**, **-es**, **-e** pour les verbes terminés par **-er** ;
– **-s**, **-s**, **-t** pour les verbes terminés par **-ir**, **-oir**, **-re**.

■ Au pluriel, les terminaisons sont toujours **-ons**, **-ez**, **-ent**.

236 **Pour chaque verbe, écris toutes les personnes possibles.**
Ex. : *... circule → je circule ; il, elle, on circule.*
... nages, ... dorment, ... réfléchit, ... soupire. Corrigé p. 163 ... /10

237 **Pense à l'infinitif, puis complète chaque verbe par e ou s.**

je m'instrui...	j'écri...	je cour...	j'arriv...
j'oubli...	je class...	j'appui...	je m'enfui...
je rinc...	je défai...		

Corrigé p. 163 ... /10

238 **Pense à l'infinitif, puis complète chaque verbe par e ou t.**

il camp...	il obéi...	on aperçoi...
elle choisi...	on se réjoui...	il éternu...
on te remerci...	elle jauni...	on revien...
elle se justifi...		

Corrigé p. 163 ... /10

239 **Complète les verbes au présent de l'indicatif.**

Je rougi... de timidité.	On se mari... bientôt.
On bondi... de joie.	Elle voi... bien la nuit.
Il sen... très bon.	Je clou... une caisse.
Elle s'évanoui... .	Il avou... ses défauts.
On étudi... l'anglais.	On rempli... les verres.

Corrigé p. 163 ... /10

240 **Classe ces verbes en deux groupes selon leurs terminaisons au singulier : ceux qui ont e, es, e, et ceux qui ont s, s, t.**

proposer, partir, capturer, conduire, revoir, récolter, inscrire, réussir, protester, fleurir, quitter, calmer, souffrir, grimper, cirer, prévoir, creuser, grogner, interdire, connaître. ... /20

241 **Complète les verbes au présent de l'indicatif.**

On construi... un nouvel immeuble. • Je vérifi... le réglage du moteur. • Paul soutien... son camarade. • Son chien désobéi... toujours. • Cette usine fourni... beaucoup d'électricité. • Tu multipli... ce nombre par 35. • Mon cousin oubli... toujours d'écrire à ses copains. • Les filles graviss... un rocher dangereux. • Nous cour... très vite. • L'ouragan détrui... tout sur son passage. Corrigé p. 164 ... /10

242 **Écris les verbes entre parenthèses au présent de l'indicatif.**

Le facteur *(distribuer)* le courrier. • Je *(continuer)* mon chemin. • Ce malade *(guérir)* rapidement. • Tu *(plier)* très bien ta serviette. • Nous *(habiter)* un petit logement. • Le pâtissier *(garnir)* la tarte de fruits frais. • Le menuisier *(clouer)* les planches avec soin. • Le jour, le soleil *(luire)*. • Chaque hiver, on *(louer)* des skis. • On entendra si vous *(frapper)* fort. ... /10

AR
circul**er**	creu**s**er	**luire**	jaun**ir**
la circul**ation**	un creu**x**	instru**ire**	roug**ir**
multipli**er**	piqu**er**	constru**ire**	fourn**ir**
une multiplic**ation**	un piqu**ant**		

OBSERVE

En ce moment, je le veux, je l'atteins, je le prends.

	Verbes terminés par -ir, -oir, -re + -oindre, -eindre, -aindre	Autres verbes terminés par -dre	pouvoir vouloir valoir
je	— s	— ds	— x
tu	— s	— ds	— x
il, elle, on	— t	— d	— t
nous		— ons	
vous		— ez	
ils, elles		— ent	

RETIENS

■ Les terminaisons du présent de l'indicatif aux trois personnes du singulier dépendent de l'infinitif du verbe :
– **-s**, **-s**, **-t** pour les verbes terminés par **-ir**, **-oir**, **-re** ;
– **-s**, **-s**, **-t** pour les verbes terminés par **-indre** et **-ds**, **-ds**, **-d** pour les autres verbes terminés par **-dre** ;
– **-x**, **-x**, **-t** pour les verbes *pouvoir, vouloir, valoir*.

243 Complète les verbes par s ou ds.

Je pe**in**... une chaise.
Je compren... le problème.
Je ven... des timbres.
Je rejo**in**... mes copains.
Je cra**in**... le froid.

J'appren... une poésie.
Je te ren... ce livre.
J'éte**in**... les lumières.
Je cou... un bouton.
Je ten... la ficelle.

Corrigé p. 164   ... /10

244 Complète les verbes par t ou d.

Il se pla**in**... souvent.
Elle ton... le gazon.
On atten... l'autobus.
Elle atte**in**... l'étagère.
Il me surpren... .

On te**in**... des vêtements.
Elle descen... au terminus.
Il repe**in**... la rampe.
On enten... la sirène.
Elle cra**in**... l'humidité.

Corrigé p. 164   ... /10

245 **Écris les verbes entre parenthèses au présent de l'indicatif.**

Ex. : *Est-ce que tu (pouvoir) grimper seul ?*
→ *Est-ce que tu **peux** grimper seul ?*

Tu *(répondre)* toujours aux questions. • Je *(vouloir)* tous vous entendre chanter. • Mes notes *(surprendre)* mes parents. • On *(se plaindre)* du bruit. • Est-ce que tu *(reprendre)* de ce délicieux rôti ? • Cette montagne *(atteindre)* 7 000 mètres. • Le président du club *(défendre)* son équipe. • J'*(entendre)* des craquements. • Tu *(confondre)* le passé simple et l'imparfait. • Je crois qu'il *(perdre)* l'esprit.   Corrigé p. 164   ... /10

246 **Classe ces verbes en trois groupes selon leurs terminaisons au présent de l'indicatif.**

comparer, transporter, vendre, peindre, obtenir, se plaindre, détacher, apprendre, se distraire, comprendre, recevoir, fendre, manquer, courir, défendre, gronder, sourire, délivrer, suspendre, s'instruire.   ... /20

▶247 **Écris chaque verbe de l'exercice précédent à la 1ʳᵉ personne du singulier du présent de l'indicatif.**   ... /20

▶248 **Écris les verbes entre parenthèses au présent de l'indicatif.**

Ex. : *La glace (fondre) vite au soleil.*
→ *La glace **fond** vite au soleil.*

La lumière du parc *(s'éteindre)* à minuit. • Cette poule *(pondre)* un œuf par jour. • Ce palmier *(craindre)* le gel. • On *(attendre)* des informations. • Un chien bien dressé ne *(mordre)* pas. • Je te *(rejoindre)* dans un instant. • Le médecin *(recoudre)* la plaie. • Je *(repeindre)* mon bateau. • Est-ce que vous *(revendre)* votre voiture ? • On dit que tu *(tordre)* une barre de fer facilement.   ... /10

 AR ♥

confondre	introduire	**é**tendre	défendre
comprendre	une introdu**ct**ion	une **é**tendue	la défen**s**e
entreprendre	**b**oiter	calme	**sus**pendre
un arbi**tr**e	**s**e disputer	calmer	

OBSERVE

	avoir		**être**		**faire**
j'	avais	j'	étais	je	**fai**sais
tu	avais	tu	étais	tu	**fai**sais
il	avait	il	était	il	**fai**sait
nous	avions	nous	étions	nous	**fai**sions
vous	aviez	vous	étiez	vous	**fai**siez
ils	avaient	ils	étaient	ils	**fai**saient

	pouvoir		**aller**		**voir**
je	pouvais	j'	allais	je	voyais
tu	pouvais	tu	allais	tu	voyais
il	pouvait	il	allait	il	voyait
nous	pouvions	nous	allions	nous	voyions
vous	pouviez	vous	alliez	vous	voyiez
ils	pouvaient	ils	allaient	ils	voyaient

	tenir		**prendre**		**courir**
je	tenais	je	prenais	je	courais
tu	tenais	tu	prenais	tu	courais
il	tenait	il	prenait	il	courait
nous	tenions	nous	prenions	nous	courions
vous	teniez	vous	preniez	vous	couriez
ils	tenaient	ils	prenaient	ils	couraient

	dire		**venir**		**savoir**
je	disais	je	venais	je	savais
tu	disais	tu	venais	tu	savais
il	disait	il	venait	il	savait
nous	disions	nous	venions	nous	savions
vous	disiez	vous	veniez	vous	saviez
ils	disaient	ils	venaient	ils	savaient

RETIENS

■ Les terminaisons de l'imparfait de l'indicatif sont
les mêmes pour tous les verbes :
– **-ais, -ais, -ait** au singulier ;
– **-ions, -iez, -aient** au pluriel.

249 **Écris les verbes à l'imparfait de l'indicatif, à la 3ᵉ personne du singulier (il, elle ou on) et du pluriel (ils ou elles).**

Ex. : *savoir la leçon* → *on savait la leçon ; elles savaient la leçon.*

Autrefois... être capable, avoir du courage, courir vite, tenir la laisse du chien, faire semblant.   Corrigé p. 164   ... /10

250 **Écris les verbes *en italique* à l'imparfait de l'indicatif, à la 2ᵉ personne du singulier (tu) et du pluriel (vous).**

En ce temps-là... *pouvoir* dessiner, *aller* au marché, *voir* ses cousins, *prendre* un parapluie, *parcourir* le monde.

Corrigé p. 164   ... /10

251 **Écris les verbes entre parenthèses à l'imparfait de l'indicatif, à la personne qui convient.**

Ex. : *Elle leur (dire) l'avenir.* → *Elle leur **disait** l'avenir.*

Pour chaque voyage, tu *(prévoir)* tout soigneusement. •
Ils ne *(savoir)* jamais où il avait laissé ses clés. •
Nous *(apprendre)* des poèmes très courts. • Autrefois,
on ne *(pouvoir)* pas le réparer. • Ils *(s'en aller)* dans la forêt
et *(revenir)* à la tombée de la nuit. • Ce tonneau *(contenir)*
du vin de Bordeaux. • Je les *(surprendre)* toujours avec
ce tour de magie. • Les marchands *(venir)* pour la foire •
Elles ne *(refaire)* jamais deux fois la même chose.   ... /10

252 **Réponds à ces questions sur les verbes fondamentaux à l'imparfait de l'indicatif.**

1. La terminaison de la 1ʳᵉ personne du pluriel est-elle toujours la même ?

2. Quelle est la 3ᵉ personne du singulier du verbe *prendre* ?

3. Quel verbe ne se prononce pas exactement comme il s'écrit ?

4. Comment s'écrit la 1ʳᵉ personne du singulier du verbe *courir* ?

5. Si j'écris « *vous voyez* », ai-je écrit la 2ᵉ personne du pluriel du verbe *voir* ? Pourquoi ?   ... /10

AR ♥

dérouler	une sau**ce**	sembl**er**	l'ét**at**
défaire	une sour**ce**	sembl**ant**	la patrie
délivrer	une injusti**ce**	compar**er**	un étranger
dégager	un sacrifi**ce**	une compar**aison**	une fanfare

OBSERVE

Autrefois, souvent, hier,
je me baignais, on plongeait, il avançait...

V_ger ⚠ V_cer

je — ais
tu — ais
il, elle, on — ait
nous — ions
vous — iez
ils, elles — aient

je / tu _geais
il / elle / on _geait
ils / elles _geaient

je / tu _çais
il / elle / on _çait
ils / elles _çaient

RETIENS

■ À l'imparfait, les verbes terminés à l'infinitif par **-ger** s'écrivent **-ge-** quand la terminaison commence par un **a** : *je plongeais*.

■ À l'imparfait, les verbes terminés à l'infinitif par **-cer** s'écrivent **-ç-** quand la terminaison commence par un **a** : *j'avançais*.

253 **Complète les verbes à l'imparfait de l'indicatif.**

Hier, je ri... tout seul.   je plong... souvent.
on nag... ensemble.   elle se coiff... en arrière.
il commenc... à pleuvoir.   on désobéiss... rarement.
nous boug... sans arrêt.   tu rinc... les verres.
elles avanc... lentement.   ils chang... de maillot.

Corrigé p. 164 ... /10

▶ **254** **Écris ces phrases en mettant les verbes à l'imparfait de l'indicatif.**
L'an dernier... Il plac... toujours ses pions de façon à gagner. •
Elle effac... le tableau. • Elle étudi... la vie des abeilles. •
Ils rang... leurs affaires. • Nous mang... souvent des crêpes. •
Elle log... dans un studio. • Vous surpren... vos amis. •
Elles se repos... . • Il neig... souvent. • Ils charg... le camion.

... /10

PAR 💙

le choi**x**	un refuge	présen**t**	un cabinet
choi**s**ir	se r**é**fugier	présenter	un présid**ent**
prévoir	fuir	la présen**ce**	présid**er**

les verbes fondamentaux au futur de l'indicatif

67

	avoir		**aller**		**donner**
j'	aurai	j'	irai	je	donnerai
tu	auras	tu	iras	tu	donneras
il	aura	il	ira	il	donnera
nous	aurons	nous	irons	nous	donnerons
vous	aurez	vous	irez	vous	donnerez
ils	auront	ils	iront	ils	donneront

	être		**faire**		**savoir**
je	serai	je	ferai	je	saurai
tu	seras	tu	feras	tu	sauras
il	sera	il	fera	il	saura
nous	serons	nous	ferons	nous	saurons
vous	serez	vous	ferez	vous	saurez
ils	seront	ils	feront	ils	sauront

	cueillir		**venir**		**prendre**
je	cueillerai	je	viendrai	je	prendrai
tu	cueilleras	tu	viendras	tu	prendras
il	cueillera	il	viendra	il	prendra
nous	cueillerons	nous	viendrons	nous	prendrons
vous	cueillerez	vous	viendrez	vous	prendrez
ils	cueilleront	ils	viendront	ils	prendront

	pouvoir		**courir**		**voir**
je	pourrai	je	courrai	je	verrai
tu	pourras	tu	courras	tu	verras
il	pourra	il	courra	il	verra
nous	pourrons	nous	courrons	nous	verrons
vous	pourrez	vous	courrez	vous	verrez
ils	pourront	ils	courront	ils	verront

■ Les terminaisons du futur de l'indicatif sont les mêmes pour tous les verbes :
-rai, -ras, -ra, -rons, -rez, -ront.

255 Écris les verbes *en italique* au futur, à la 3ᵉ personne du singulier (il, elle ou on) et du pluriel (ils ou elles).

Plus tard... *savoir* conduire, *être* enseignant, *donner* son avis, *pouvoir* travailler, *avoir* un bon métier.

Corrigé p. 164   ... /10

113

256 Écris les verbes au futur de l'indicatif, à la 1ʳᵉ personne du singulier et du pluriel.

Plus tard, je... nous... aller en Italie, courir comme un lièvre, cueillir des fleurs, faire des achats, prendre des photos.

Corrigé p. 164 ... /10

257 Écris les verbes entre parenthèses au futur de l'indicatif.

Ex. : *Nous (être) en avance.* → *Nous **serons** en avance.*

L'an prochain, il *(parcourir)* l'Europe à bicyclette. ● On pense que tu *(arriver)* par le train de dix heures. ● Nous nous *(revoir)* bientôt. ● Ces petits cadeaux *(satisfaire)* tout le monde. ● Ils *(s'en aller)* quand il y *(avoir)* moins de circulation. ● On t'*(accueillir)* avec plaisir. ● Crois-tu qu'elle me *(pardonner)* si je suis franche avec elle ? ● Mangez et vous *(reprendre)* des forces ! ● *(Revenir)*-vous l'été prochain ? Corrigé p. 164 ... /10

258 Réponds à ces questions sur les verbes fondamentaux au futur de l'indicatif.

1. L'infinitif de « *ils seront* » est-il *être* ou *avoir* ?

2. Quelle est la 3ᵉ personne du singulier du verbe *cueillir* ?

3. Deux verbes ont **av** dans leur infinitif et **au** quand on les conjugue au futur. Écris ces deux verbes.

4. Que devient le **ai** de l'infinitif *faire* au futur ?

5. Trois verbes du tableau ont **deux r** au futur. Écris-les à la 1ʳᵉ personne du singulier. ... /5

259 Écris ces phrases en mettant les verbes *en italique* au futur.

Ex. : *Je suis heureux.* → *je **serai** heureux.*

Il *défait* le paquet. ● On *reprend* la route. ● Tu ne *viens* pas à vélo. ● Vous *pouvez* y aller. ● Tu ne *cueilles* pas de fleurs. ● Je *vais* avec toi. ● Ils nous *donnent* leur canapé. ● *Savez*-vous votre leçon ? ● Ils ne *voient* pas à cause du brouillard. ● Alice *est* très polie. ... /10

PAR ♥	élever	une av**en**ture	ouvrir	poursuivre
	écraser	un cal**en**drier	une ouverture	une poursuite
	s'**é**crouler	les v**en**danges	re**ce**voir	courber
	prot**é**ger	le san**g**	décorer	une courbe

68 le futur de l'indicatif

OBSERVE

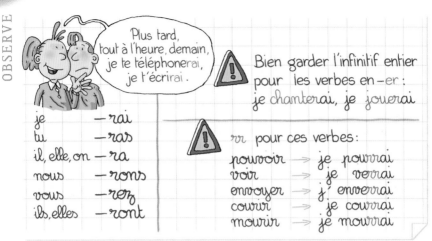

Plus tard, tout à l'heure, demain, je te téléphonerai, je t'écrirai.

Bien garder l'infinitif entier pour les verbes en –er : je chanterai, je jouerai

je	— rai
tu	— ras
il, elle, on	— ra
nous	— rons
vous	— rez
ils, elles	— ront

rr pour ces verbes :

pouvoir	⟶	je pourrai
voir	⟶	je verrai
envoyer	⟶	j'enverrai
courir	⟶	je courrai
mourir	⟶	je mourrai

RETIENS

- Les verbes réguliers terminés par **-er** ou par **-ir** gardent l'infinitif entier dans la conjugaison : *je téléphonerai, je finirai*.
- *Pouvoir, voir, envoyer, courir, mourir* s'écrivent avec **deux r** au futur.

260 **Complète les verbes au futur de l'indicatif.**

Demain, on téléphon... .
elle se parfum... .
je m'appliqu... .
on s'amus... tous.
tu ne te sali... pas.

ils goût... ma tarte.
vous regard... le film.
elle choisi... une jupe.
nous boug... beaucoup.
il condui... lentement.

Corrigé p. 164   ... /10

▶**261** **Écris ces phrases en mettant les verbes au futur de l'indicatif.**

La semaine prochaine... On lui enver... un colis. • Nous nous réfugi... dans notre cabane. • Il copi... ses récitations. • Je tu... le moustique. • Tu ne menti... pas. • Elle s'habitu... au froid. • Vous mour... de rire en écoutant ce comique. • Je vérifi... les opérations. • Ils se mari... . • Je jou... aux échecs.

... /10

PAR ❤

croi**s**er	imprimer	un menuisier	c**au**ser
la rai**s**on	un imprimeur	un sentier	se t**ai**re
la conjugai**s**on	une imprimerie	un tournan**t**	gronder
m**ai**gre	mauvai**s**	un virage	grogner

OBSERVE

avoir		être		aller	
j'	ai eu	j'	ai été	je	suis allé
tu	as eu	tu	as été	tu	es allé
il	a eu	il	a été	il	est allé
nous	avons eu	nous	avons été	nous	sommes allés
vous	avez eu	vous	avez été	vous	êtes allés
ils	ont eu	ils	ont été	ils	sont allés
finir		**mettre**		**prendre**	
j'	ai fini	j'	ai mis	j'	ai pris
tu	as fini	tu	as mis	tu	as pris
il	a fini	il	a mis	il	a pris
nous	avons fini	nous	avons mis	nous	avons pris
vous	avez fini	vous	avez mis	vous	avez pris
ils	ont fini	ils	ont mis	ils	ont pris
pouvoir		**savoir**		**venir**	
j'	ai pu	j'	ai su	je	suis venu
tu	as pu	tu	as su	tu	es venu
il	a pu	il	a su	il	est venu
nous	avons pu	nous	avons su	nous	sommes venus
vous	avez pu	vous	avez su	vous	êtes venus
ils	ont pu	ils	ont su	ils	sont venus
dire		**écrire**		**faire**	
j'	ai dit	j'	ai écrit	j'	ai fait
tu	as dit	tu	as écrit	tu	as fait
il	a dit	il	a écrit	il	a fait
nous	avons dit	nous	avons écrit	nous	avons fait
vous	avez dit	vous	avez écrit	vous	avez fait
ils	ont dit	ils	ont écrit	ils	ont fait

RETIENS

■ Le passé composé d'un verbe est formé d'un **auxiliaire**
(**avoir** ou **être**) au présent de l'indicatif, suivi du **participe
passé** du verbe.

262 Écris les verbes au passé composé, à la 1re personne
du singulier (je) et à la 3e personne du singulier (il, elle ou on).

La semaine passée... finir le dessin, aller trop vite, dire
la vérité, faire le ménage, avoir peur.

Corrigé p. 164 ... /10

263 Écris les verbes *en italique* au passé composé, à la 2e personne du singulier (tu) et du pluriel (vous).

Hier... *mettre* une veste, *être* sage, *prendre* un stylo, *pouvoir* partir, *surprendre* ses amis. Corrigé p. 164 ... /10

264 Écris les verbes entre parenthèses au passé composé.

Ex. : *Elle (reprendre) des forces.* → *Elle **a repris** des forces.*

On nous *(permettre)* de rester. • Ils *(aller)* au stade voir la finale. • Nous *(être)* nombreux à l'applaudir. • Est-ce que vous *(comprendre)* ce qu'il voulait ? • Tu *(arriver)* en avance, ce matin ! • Ma tante *(grossir)* depuis quelques années. • On lui *(promettre)* un cadeau. • Est-ce que tu *(apprendre)* le poème ? • Est-ce que vous *(refaire)* l'opération ? • Ma cousine *(avoir)* neuf ans. ... /10

▶ **265** Réponds en t'aidant du tableau des verbes fondamentaux p. 116.

1. À quel temps est l'auxiliaire d'un verbe au passé composé ?
2. Quels verbes sont conjugués avec l'auxiliaire *être* ?
3. Quel verbe a pour participe passé « *été* » ?
4. Quelle est la 3e personne du singulier du verbe *faire* ?
5. Écris les cinq participes passés qui se terminent toujours par une lettre muette. ... /5

▶ **266** Écris ces phrases en mettant les verbes au passé composé.

Ex. : *Il **pleut** sans arrêt.* → *Il **a plu** sans arrêt.*

Les enfants font des découpages. • Sophie met sa bague. • Ma sœur a un microscope. • Lucile fait des grimaces à son frère. • Nous allons à l'opéra. • Vous finissez par obtenir une réduction ! • Tu es distrait. • Cette personne sait soigner les éléphants. • Je prends un crayon rouge. • Est-ce qu'on lui dit la vérité ? ... /10

PAR ♥

at**t**irer	ram**p**er	découper	une gro**tt**e
at**t**endre	complet	un découpage	une de**tt**e
at**t**ribuer	le plom**b**	le crépus**cule**	une be**tt**erave
	nove**mb**re	une casse**role**	un stade

OBSERVE

Infinitifs	Temps simples	Temps composés
	présent ← →	*passé composé*
avoir	j'ai	j'ai eu
être	je suis	j'ai été
faire	je fais	j'ai fait
prendre	je prends	j'ai pris
aller	je vais	je suis allé(e)
venir	je viens	je suis venu(e)
	imparfait ← →	*plus-que-parfait*
avoir	j'avais	j'avais eu
être	j'étais	j'avais été
faire	je faisais	j'avais fait
prendre	je prenais	j'avais pris
aller	j'allais	j'étais allé(e)
venir	je venais	j'étais venu(e)
	futur simple ← →	*futur antérieur*
avoir	j'aurai	j'aurai eu
être	je serai	j'aurai été
faire	je ferai	j'aurai fait
prendre	je prendrai	j'aurai pris
aller	j'irai	je serai allé(e)
venir	je viendrai	je serai venu(e)
	passé simple ← →	*passé antérieur*
avoir	j'eus	j'eus eu
être	je fus	j'eus été
faire	je fis	j'eus fait
prendre	je pris	j'eus pris
aller	j'allai	je fus allé(e)
venir	je vins	je fus venu(e)

RETIENS

- Un temps composé est formé d'un **auxiliaire** (**avoir** ou **être**) suivi du **participe passé** d'un verbe.
- Les temps composés de l'indicatif sont : le passé composé, le plus-que-parfait, le futur antérieur et le passé antérieur.
- Au passé composé, l'auxiliaire est au présent.
  Au plus-que-parfait, l'auxiliaire est à l'imparfait.
  Au futur antérieur, l'auxiliaire est au futur simple.
  Au passé antérieur, l'auxiliaire est au passé simple.

267 Classe ces verbes en deux groupes : ceux qui sont conjugués à un temps simple et ceux qui sont conjugués à un temps composé.

tu viens • il avait pris • nous irons • on fera • elle est allée • vous avez eu • ils sont venus • je serai • elles avaient fait • je prends. Corrigé p. 164 ... /10

268 Réponds à ces questions en t'aidant du tableau des verbes de la page 118.

1. Quel temps composé correspond au présent ?
2. *« avions pris »* est-il un temps simple ou un temps composé ?
3. Quel verbe à un temps simple correspond à *« suis allé »* ?
4. À quel temps simple correspond le verbe *« ont donné »* ?
5. Quel verbe à un temps composé correspond à *« prenais »* ?

Corrigé p. 164 ... /5

269 Souligne les verbes qui sont à un temps composé, puis écris à quel temps composé ils sont employés.

Ex. : *On a réparé l'horloge.* → *On a réparé l'horloge (passé composé).*

Nous avions proposé de l'aider. • Elle s'est consolée rapidement. • Tu l'auras sûrement rangé avant ton départ. • Il est parti parce qu'on s'était moqué de lui. • Il aura ruiné sa famille. • Ils ont fendu toutes les bûches. • Dès qu'il eut rempli sa fiche, il la rendit. • Ils ont poursuivi les bandits dans la montagne. • Ils avaient réussi à cacher leur secret. • Nous passerons à table dès que vous serez arrivé. ... /10

270 Écris ces verbes aux temps composés correspondants.

Ex. : *je pouvais (imparfait)* → *j'avais pu (plus-que-parfait).*

il est, on pourra, elle disait, ils font, vous prenez, elle verra, tu allais, vous aviez, je vins, on donnera. ... /10

uni**que**	agri**cole**	cultiv**er**	p**é**rir
un mas**que**	un agricul**teur**	une cultiv**ateur**	subir
un mus**cle**	l'agricul**ture**	probablement	subitement
	un b**œuf**	sans doute	un spe**ctacle**

119

les participes passés en **-é**, **-u**, **-i**

OBSERVE

Je suis allé au cinéma.
J'ai vu des dessins animés.
J'ai bien ri.

avoir
ou + V___ é
être   u
              i

auxiliaire + participe passé

TEMPS COMPOSÉ

RETIENS

■ Le participe passé des verbes en **-er** se termine par **-é**.

■ D'autres participes passés se terminent par **-u** ou par **-i**.

271 **Complète les participes passés par é, u ou i. Souligne l'auxiliaire.**
Ex. : *J'ai bientôt fin... l'exercice.* → *J'ai bientôt fini l'exercice.*

Il a vite descend... l'escalier. • Elle a pass... la soirée chez moi. •
Ils avaient ment... . • Elle a beaucoup grand... . • Ils ont vend...
leur voiture. • Le chasseur a aperç... un renard. • On a chois...
un livre. • Il est all... au Maroc. • Elle a attend... longtemps. •
Les élèves ont obé... .   Corrigé p. 165   ... /10

▶ **272** **Écris les participes passés des verbes entre parenthèses.**

On a *(changer)* de train à Dijon. • La neige avait *(fondre)*. •
Elle a *(dormir)* jusqu'à midi. • Simon a *(courir)* le 100 m
en dix secondes. • Il est *(rester)* chez lui. • Le maître a *(noter)*
tous les élèves. • J'ai *(prévenir)* ses parents. • Les feuilles
ont *(jaunir)*. • Ils avaient *(garnir)* le sapin. • Le chien
a *(mordre)* le facteur.   ... /10

PAR ❤

| déclar**er** | con**n**u | retourner | une pe**ll**e |
| une déclar**ation** | fi**x**e | une feme**ll**e | une poube**ll**e |

les participes passés en -i, -is, -it

auxiliaire	participe passé

avoir
ou + √‾‾‾‾ é
être   u

Écoute bien la fin du mot !

Il est parti.	i	une personne qui est partie
Nous avons compris.	is	une chose qui est comprise
Elles ont dit.	it	une chose qui est dite

■ Certains participes passés se terminent toujours par **-is** ou par **-it**.

■ Pour savoir si un participe passé se termine par **-i**, par **-is** ou par **-it**, il faut le mettre dans une expression où il est au féminin. Un participe passé en **-is** ou en **-it** fait entendre un féminin en **-ise** ou en **-ite**.

273 **Complète les expressions par ie, ise ou ite.**
Ex. : *on a mis → une veste* qui est **mise.**

j'ai dit	→	une chose *qui est* d...
nous avons pris	→	une chose *qui est* pr...
il a senti	→	une fleur *qui est* sent...
tu as cuit	→	une viande *qui est* cu...
j'ai conduit	→	une voiture *qui est* condu...

Corrigé p. 165   ... /5

274 **Complète les participes passés par i, is ou it.**
Ex. : *une veste* qui est *mise →* on a m... : on a **mis.**

une maison *qui est* fleur**ie**	→	il a fleur...
une chose *qui est* permise	→	elle a perm...
une image *qui est* reproduite	→	ils ont reprodu...
une chose *qui est* interdite	→	on a interd...
une personne *qui est* surprise	→	nous avons surpr...

Corrigé p. 165   ... /5

275 **Complète les participes passés.**

une lettre *qui est* transmise : il a transm... une lettre.
une leçon *qui est* apprise : ils ont appr... une leçon.
une fête *qui est* réussie : elle a réuss... la fête.
une carte postale écrite : tu as écr... une carte postale.
une maison reconstruite : nous avons reconstru... une maison.

... /5

276 **Écris les participes passés des verbes entre parenthèses.**

Ex. : *une chose qui est (comprendre)* → *une chose qui est compr**ise**.*

une élève qui est *(inscrire)* • une chose qui est *(produire)* •
une région qui est *(conquérir)* • une construction qui est
(démolir) • une expédition qui est *(entreprendre)* • une chose qui
est *(faire)* • une fleur qui est *(offrir)* • une lettre qui est *(remettre)* •
une chose qui est *(reprendre)* • une idée qui est *(admettre)*.

Corrigé p. 165 ... /10

277 **Complète les participes passés par i, is ou it.**

On m'a d... un secret. • Ils m'ont prom... une récompense. •
Elle a dorm... toute la nuit. • Mon frère a adm... son erreur. •
La tornade a détru... beaucoup de maisons. • Ils ont enfin
réuss... à réparer ce moteur. • Cette usine a produ... dix mille
voitures. • Le préfet lui a rem... une décoration. • Il a repr...
le ballon de justesse. • Cette entreprise a constru... l'école.

... /10

278 **Écris les participes passés des verbes entre parenthèses.**

Vous avez *(vernir)* le parquet. • Elles ont *(commettre)*
une faute. • On a *(recouvrir)* la toiture. • On a *(surprendre)*
le chat sur la table. • Marie a *(choisir)* une robe. • Le bébé
a *(salir)* son pyjama. • Elle a *(traduire)* un roman en anglais. •
Ils ont *(fleurir)* leur balcon. • La dinde est *(farcir)*. •
Il a *(défaire)* ses lacets.

... /10

PAR ❤

assis	un espoir	luisant	colorer
appris	une escalade	délicat	un couloir
apprendre	un échange	un défaut	un cavalier
un apprenti	l'éducation	stupide	la colère

73 · le participe passé en **-é** ou l'infinitif en **-er**

OBSERVE

Il va manger.

Il va (quoi faire?) manger.

V___ quoi faire? V___er

Il a mangé.

avoir mangé

avoir ou être + V___é

RETIENS

- Un verbe terminé par **-er** est à l'**infinitif**. Il indique une action.
- Un verbe terminé par **-é** est au **participe passé**.
  Il est conjugué avec l'auxiliaire **avoir** ou avec l'auxiliaire **être**.
  Il peut aussi être seul, employé comme un adjectif.

279 **Termine les phrases comme dans les deux exemples fléchés.**

On vient de   Elle a
Il avait   Je veux   *(avoir)* → réveillé Alice.
Il faut   Je tiens à   *(quoi faire)* → réveiller Léo.
                J'ai

Corrigé p. 165   ... /5

280 **Écris ces phrases en deux groupes : celles qui ont un participe passé en -é, et celles qui ont un infinitif en -er.**

Nous allons nager. • J'ai rayé ta réponse. • On a tout vérifié. • On doit s'abriter. • Il a présidé la réunion. • Elle va habiter ici. • On peut t'aider. • Vous devez avancer. • On l'a capturé. • Tu l'as oublié.   Corrigé p. 165   ... /10

281 **Complète par é ou er, puis souligne ce qui t'a fait choisir é.**

J'ai mang... . Je veux mang... . • Je suis tomb... . Je viens de tomb... . • Il faut se relev... . Il s'est relev... . • Elle a chant... . Elle va chant... . • Il doit march... . Nous avons march... .

Corrigé p. 165   ... /10

282 **Écris les phrases que tu obtiens, comme dans l'exemple fléché.**
Ex. : *Je préfère payer.*

Elle souhaite   Je préfère ⟶ **payer.**
On désirerait   Elle a déjà   **payé.**
Nous aurons   Tu es obligé de

... /5

283 **Complète par é ou er, puis souligne ce qui t'a fait choisir é.**
On veut jou... . On a jou... . • Il est entr... . Elles peuvent
entr... . • Il est habill... . Ils vont s'habill... . • Nous avons
tir... . Elle sait tir... . • Je dois y pens... . Elle y aura pens... .

... /10

▶ **284** **Complète les verbes par é ou er.**
La tortue s'est mise à boug... . • On tient à arriv... avant
la nuit. • Elles auront termin... leur travail vers seize
heures. • Tu as bien mérit... ta médaille. • Vous allez finir
par vous enrhum... . • Je refuse de chang... de place. •
Elle avait encore oubli... de me prévenir. • Ils vont mesur...
la force du vent. • Va te douch... . • Il était log... dans
une vieille chambre.

... /10

▶ **285** **Choisis le participe passé ou l'infinitif pour compléter ces phrases.**

jeté / jeter • On a ... les vieux journaux.
Elle va ... un coup d'œil dans la pièce.
Il s'est ... à l'eau pour la sauver.

griffé / griffer • On s'est fait ... par les ronces.
Le chat l'avait ... en se sauvant.

remplacé / remplacer • Il faut ... les bougies.
Votre moteur sera ... par un neuf.

glissé / glisser • Jean a ... sur une peau de banane.
Il s'est ... sous la couverture.
On vient de ... un message sous la porte.

... /10

PAR ♥   cla**ss**er   entourer   un para**pluie**   le menton
cla**qu**er   capturer   désagréable   les **r**eins
man**qu**er   navi**gu**er   agréablement   la soi**f**
v**é**rifier   une bla**gu**e   les loi**s**irs   un r**ê**ve

124

74 les verbes fondamentaux à l'impératif présent

avoir	être	faire
aie	sois	fais
ayons	soyons	faisons
ayez	soyez	faites
aller	**voir**	**venir**
va	vois	viens
allons	voyons	venons
allez	voyez	venez
prendre	**mettre**	**courir**
prends	mets	cours
prenons	mettons	courons
prenez	mettez	courez
cueillir	**offrir**	**donner**
cueille	offre	donne
cueillons	offrons	donnons
cueillez	offrez	donnez

■ L'impératif présent a seulement trois personnes :
la 2ᵉ personne du singulier, la 1ʳᵉ et la 2ᵉ personne du pluriel.
On n'écrit pas les pronoms personnels.

286 **Écris les verbes à la 2ᵉ personne du singulier de l'impératif présent.**

venir • prendre un cahier • être sage • donner ce livre •
mettre une veste • faire ce problème • avoir du courage •
courir vite • cueillir des pommes • aller à la gare.

Corrigé p. 165 ... /10

▶**287** **Écris les verbes aux trois personnes de l'impératif présent.**

prévoir l'avenir • revenir • apprendre la poésie • remettre
du sel • refaire cet exercice • offrir ce bouquet • être poli •
avoir de bons résultats • parcourir ce chemin • arriver à l'heure.

... /10

PAR ♥

coiffer	le dentiste	un fil de fer	une alarme
un coiffeur	urgent	un filet	une clinique
une coiffure	le silence	enfiler	le bricolage

OBSERVE

> Écoute ! Viens ! Travaillons !
> C'est un ordre, un conseil !

	verbes terminés par – er	autres verbes
2e pers. singulier	– e	– s (ou ds)
1re pers. pluriel	– ons	– ons
2e pers. pluriel	– ez	– ez

⚠ À la 2e personne du singulier, on n'écrit jamais **es**. Quand on entend le son « e », on écrit e : offre, ouvre, cueille.

RETIENS

- À l'impératif, les terminaisons des verbes en **-er** et des verbes qui ont le son « e » à la 2e personne du singulier sont : **-e, -ons, -ez** (*écoute, offre…*).
- Les terminaisons des autres verbes sont les mêmes qu'au présent de l'indicatif : **-s** (ou **-ds**), **-ons, -ez** (*viens, prends*).

288 **Écris les verbes à la 2e personne du singulier de l'impératif présent.**
Ex. : *remercier sa sœur → remercie ta sœur.*

répondre tout de suite • partir vite • écouter la radio • écrire une lettre • suivre cette voiture • finir ses devoirs • regarder avant de traverser • manger lentement • rendre le ballon • bien dormir.

Corrigé p. 165 ... /10

▶ **289** **Complète les verbes à l'impératif présent.**

Ser...-toi d'abord. • Chang... tes chaussettes. • Ramass... tes affaires et vien... avec moi. • Choisi... votre camp. • Souvien...-toi de ce qu'elle a dit. • Étend...-vous sur l'herbe. • Condui...-le chez le coiffeur. • Rempli... notre fiche. • Descen... sans courir, tu pourrais tomber. ... /10

PAR ❤

mani**fes**ter	une **note**	cha**ss**er	peser
prot**es**ter	noter	un cha**ss**e-neige	ruiner

76 les terminaisons
en -é, -er, -ez, -ais, -ait

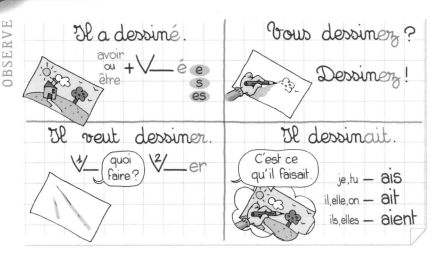

■ **-é** indique un participe passé qui peut être conjugué avec *avoir* ou *être*, ou bien employé seul comme un adjectif.

■ **-er** marque l'infinitif des verbes du 1er groupe et du verbe *aller*.

■ **-ez** marque la deuxième personne du pluriel.

■ **-ais**, **-ait** ou **-aient** sont des terminaisons de l'imparfait de l'indicatif.

290 **Relie chaque début de phrase au bon verbe, puis écris les phrases obtenues.**

Ex. : *Elle aime danser.*

Elle aime ——	dansé.	Tu	marcher.
Vous	danser.	Il préfère	marchais.
Vous avez	dansez.	Le garçon	marchait.

Corrigé p. 165 ... /10

291 **Complète les phrases en ajoutant la forme correcte du verbe passer.**

Ils vont **passer**.
Nous avons ...
Il vient de ...
Vous ...
Le car est ...
Mon frère ...

Je ...
Les chiens ...
Ma sœur ...
Il va ...
Elle pourrait ...

pass**é**.
pass**er**.
pass**ez**.
pass**ais**.
pass**ait**.
pass**aient**.

Corrigé p. 165 ... /10

292 Trace toutes les flèches possibles, puis écris les phrases obtenues.

Elle veut	dessiné.
Nous avons	dessiner.
Ils	dessinez.
Vous	dessinait.
On	dessinaient.

Tu dois	écouté.
J'	écoutais.
Vous aviez	écouter.
L'élève	écoutait.
Tu	

Corrigé p. 165 ... / 10

293 Complète les verbes par é, er, ez, ait ou aient.
Ex. : *L'alarme se déclench... toutes les nuits.*
→ *L'alarme se déclench**ait** toutes les nuits.*

Je dois déménag... . • Mon frère apprend à parl... espagnol. •
Vous avanc... et vous stationn... devant la librairie. •
Elle sembl... très contente. • Il est entr... sans frapp... . •
Le professeur nous a donn... un exercice. • Ils discut...
pendant des heures. • Elle s'amuse à saut... à la corde.   ... / 10

294 Choisis chaque fois une terminaison de la leçon pour écrire
les verbes *en italique.*

J'aime beaucoup quand vous *(chanter)*. • On *(pénétrer)* dans
le souterrain par une galerie très étroite. • Le clown l'a
beaucoup *(amuser)*. • On cherche à *(gagner)* du temps. •
Si tu m'*(écouter)*, tu comprendrais mieux. • La biche a
(protéger) son faon. • Je n'ai plus *(penser)* à te *(téléphoner)*. •
Les joueurs *(entourer)* l'adversaire pour lui prendre
le ballon. • Les enfants *(admirer)* le feu d'artifice.   ... / 10

295 Trouve cinq phrases contenant le verbe glisser de façon
à l'écrire avec chacune des terminaisons é, er, ez, ais et aient.
glissé, glisser, glissez, glissais, glissaient.   ... / 5

PAR ♥

distribuer	la crème	danser	un atelier
un distributeur	la fièvre	un danseur	un anorak
une distribution	un cortège	l'intérieur	un adverbe
une preuve	un ordinateur	inférieur	

les verbes fondamentaux
au passé simple de l'indicatif

OBSERVE et RETIENS

	avoir		**être**		**donner**
j'	eus	je	fus	je	donnai
tu	eus	tu	fus	tu	donnas
il	**eut**	**il**	**fut**	**il**	**donna**
nous	eûmes	nous	fûmes	nous	donnâmes
vous	eûtes	vous	fûtes	vous	donnâtes
ils	**eurent**	**ils**	**furent**	**ils**	**donnèrent**

	aller		**faire**		**vouloir**
j'	allai	je	fis	je	voulus
tu	allas	tu	fis	tu	voulus
il	**alla**	**il**	**fit**	**il**	**voulut**
nous	allâmes	nous	fîmes	nous	voulûmes
vous	allâtes	vous	fîtes	vous	voulûtes
ils	**allèrent**	**ils**	**firent**	**ils**	**voulurent**

	voir		**prendre**		**venir**
je	vis	je	pris	je	vins
tu	vis	tu	pris	tu	vins
il	**vit**	**il**	**prit**	**il**	**vint**
nous	vîmes	nous	prîmes	nous	vînmes
vous	vîtes	vous	prîtes	vous	vîntes
ils	**virent**	**ils**	**prirent**	**ils**	**vinrent**

	savoir		**devoir**		**lire**
je	sus	je	dus	je	lus
tu	sus	tu	dus	tu	lus
il	**sut**	**il**	**dut**	**il**	**lut**
nous	sûmes	nous	dûmes	nous	lûmes
vous	sûtes	vous	dûtes	vous	lûtes
ils	**surent**	**ils**	**durent**	**ils**	**lurent**

296 **Écris les verbes au passé simple, à la 3ᵉ personne du singulier (il, elle ou on) et à la 3ᵉ personne du pluriel (ils ou elles).**

Hier matin... faire le lit • avoir la preuve de son courage • être là au bon moment • donner le signal du départ • aller au marché en voiture.

Corrigé p. 165   ... /10

297 Écris les verbes *en italique* au passé simple, à la 1re personne du singulier (je) et à la 3e personne du singulier (il, elle ou on).

Tout à coup… *voir* un crocodile, *devoir* s'arrêter, *revenir* en classe, *prendre* peur, *vouloir* entrer. Corrigé p. 165 … /10

298 Écris les verbes entre parenthèses au passé simple de l'indicatif.

Ex. : *Il (s'en aller) en chantant.* → *Il **s'en alla** en chantant.*

Elle *(être)* prête avant les autres. • Ils *(savoir)* qu'ils avaient réussi en écoutant la radio. • La baleine *(refaire)* surface près du bateau. • On ne les *(revoir)* jamais. • Le troupeau *(revenir)* au début de l'été. • Le juge *(pardonner)* leur bêtise, mais ils *(devoir)* payer ce qu'ils avaient cassé. • Quand je *(lire)* sa lettre, je *(comprendre)* ce qui s'était passé. • Comme elle l'avait dit, elle *(tenir)* sa promesse. … /10

299 Réponds à ces questions sur les verbes fondamentaux au passé simple de l'indicatif.

1. Les quatre mêmes lettres terminent toujours la 3e personne du pluriel. Lesquelles ?
2. Quels sont les deux verbes qui se terminent par **ai** à la 1re personne du singulier ?
3. À quelles personnes les verbes ont-ils un accent circonflexe ?
4. « *Il vint* » est-il le verbe *voir*, le verbe *aller* ou le verbe *venir* ?
5. À quel infinitif correspond « *ils firent* » ? … /5

300 Utilise les personnes du passé simple qui sont peu fréquentes.

• Ce jour-là, nous *(apprendre)* la leçon par cœur.
• Vous *(avoir)* si peur que vous tombâtes dans les pommes !
• Il entra et vous *(devoir)* vous sauver par le balcon.
• Vous *(faire)* si bien que la foule se leva pour applaudir.
• Au signal, nous *(aller)* nous mettre en rang. … /5

PAR ♥

grimper	ajouter	un collier	une nouvelle
flamber	semer	une vallée	une demoiselle
une compote	vivant	différent	une sauterelle
les membres	important	une touffe	de la dentelle

78 le passé simple de l'indicatif

Hier, tout à coup, il frappa, il ouvrit la porte et il me reconnut.

verbes terminés par – er		verbes terminés par – ir, –oir, –re		
je	– ai	je	– is ou	– us
tu	– as	tu	– is	– us
il	– a	il	– it	– ut
nous	– âmes	nous	– îmes	– ûmes
vous	– âtes	vous	– îtes	– ûtes
ils	– èrent	ils	– irent	– urent

⚠ tenir : je tins, il tint, ils tinrent. venir : je vins, il vint, ils vinrent.

■ Au passé simple, les verbes en **-er** se terminent toujours par : **-ai, -as, -a, -âmes, -âtes, -èrent**.

■ Les autres verbes se terminent par : **-is, -is, -it, -îmes, -îtes, -irent** ou par **-us, -us, -ut, -ûmes, -ûtes, -urent**.

301 **Écris toutes les personnes possibles.**

... arrivai | ... travaillâtes | ... restai
... commença | ... laissas | ... marchâmes
... arrêtèrent

Corrigé p. 165   ... /10

▶**302** **Écris les verbes *en italique* au passé simple, à la 3ᵉ personne du singulier (il, elle ou on).**

Hier, tout à coup... *se retourner* brusquement • *écrire* un nombre en lettres • *perdre* espoir • *courir* vers la sortie • *danser* de joie • *croire* en la victoire • *décider* de téléphoner • *appeler* de l'aide • *s'endormir* rapidement • *dire* la vérité.

Corrigé p. 166   ... /10

▶**303** **Classe ces verbes en deux groupes selon leurs terminaisons au passé simple : -is, -is, -it... ou bien -us, -us, -ut... .**

conduire, maigrir, boire, entendre, construire, vivre, dormir, recevoir, apercevoir, répondre.

... /10

79 les temps simples
les temps composés

OBSERVE

TEMPS SIMPLES

Elle courut.

Il comprit.

je / tu / il V—— s / s / t

ou : je / tu / il V—— e / es / e

TERMINAISONS

TEMPS COMPOSÉS

Elle a couru.

Il a compris.

avoir ou être + V—— u / i / is / it (e / s / es)

TERMINAISONS

accord possible avec ce qui est.

RETIENS

■ Un verbe conjugué à un temps simple porte toujours une terminaison de la conjugaison.

■ Un verbe conjugué à un temps composé est au participe passé. C'est l'auxiliaire *avoir* ou *être* qui porte les terminaisons de la conjugaison.

304 **Souligne chaque verbe : d'un trait s'il est conjugué à un temps simple, et de deux traits s'il est conjugué à un temps composé.**

Ex. : *Elle courut. Elle a couru.*

Il est parti seul. • On partit en voiture. • Ils ont pris l'avion. • Elle prit le train. • Mes parents ont voulu rester. • Son père voulut venir. • Il mit sa veste. • Elle a mis une casquette. • Il sortit le dernier. • On est sorti.

Corrigé p. 166 ... / 10

305 **Écris en deux groupes les temps simples et les temps composés.**

Il est tombé. • Elle a su sa leçon. • Il rit de bon cœur. • J'ai reçu une lettre. • On a regardé la télévision. • Il éternue souvent. • Il crut bien faire. • Elle dormit pendant le voyage. • Nous avons cru à son histoire. • J'ai écrit une lettre.

... / 10

PAR ♥

mesurer	un parfum	environ	quitter
mériter	parfumer	une pendule	en équilibre
détester	une parfumerie	une pension	électrique

132

les verbes fondamentaux au conditionnel présent

OBSERVE

	avoir		aller		donner
j'	aurais	j'	irais	je	donnerais
tu	aurais	tu	irais	tu	donnerais
il	aurait	il	irait	il	donnerait
nous	aurions	nous	irions	nous	donnerions
vous	auriez	vous	iriez	vous	donneriez
ils	auraient	ils	iraient	ils	donneraient
	être		faire		savoir
je	serais	je	ferais	je	saurais
tu	serais	tu	ferais	tu	saurais
il	serait	il	ferait	il	saurait
nous	serions	nous	ferions	nous	saurions
vous	seriez	vous	feriez	vous	sauriez
ils	seraient	ils	feraient	ils	sauraient
	cueillir		venir		prendre
je	cueillerais	je	viendrais	je	prendrais
tu	cueillerais	tu	viendrais	tu	prendrais
il	cueillerait	il	viendrait	il	prendrait
nous	cueillerions	nous	viendrions	nous	prendrions
vous	cueilleriez	vous	viendriez	vous	prendriez
ils	cueilleraient	ils	viendraient	ils	prendraient
	pouvoir		courir		voir
je	pourrais	je	courrais	je	verrais
tu	pourrais	tu	courrais	tu	verrais
il	pourrait	il	courrait	il	verrait
nous	pourrions	nous	courrions	nous	verrions
vous	pourriez	vous	courriez	vous	verriez
ils	pourraient	ils	courraient	ils	verraient

RETIENS

■ Les terminaisons du conditionnel présent sont les mêmes pour tous les verbes :
-rais, -rais, -rait, -rions, -riez, -raient.

306 **Écris les verbes au conditionnel présent, à la 1re personne du singulier (je) et du pluriel (nous).**

Si je pouvais... faire tous les exercices, prendre le bateau, courir plus vite, aller en Amérique, être pilote. Corrigé p. 166 ... /10

307 Écris les verbes entre parenthèses au conditionnel présent.

Si tu voulais, tu *(prendre)* le bus. Léa *(venir)* avec toi. Il y *(avoir)* aussi Julie et Maud. On *(aller)* au zoo et on *(faire)* des photos.

... /5

308 Écris les verbes *en italique* au conditionnel présent, à la 3ᵉ personne du singulier (il, elle ou on) et du pluriel (ils ou elles).

Si elle voulait... *avoir* une moto, *cueillir* des fraises, *venir* à ma rencontre, *pouvoir* gagner, *savoir* chanter.   Corrigé p. 166 ... /10

▶**309** Écris les verbes entre parenthèses au conditionnel présent.

Ex. : *Il (être) fou s'il restait ici.* → *Il **serait** fou s'il restait ici.*

Si tu écoutais, tu *(comprendre)* mieux. • Je *(revoir)* ce film avec plaisir, s'il était rediffusé. • Si vous aviez travaillé, vous *(avoir)* le premier prix. • Si elle osait le faire, elle *(s'en aller)* tout de suite. • Je *(être)* heureux si tu m'attendais.

Corrigé p. 166 ... /5

▶**310** Écris les verbes entre parenthèses au conditionnel présent.

S'il voulait bien, on l'*(accueillir)* chez nous. • Si j'avais le temps, je *(refaire)* le problème. • S'il en restait, on *(reprendre)* bien des frites. • Le sacrifice *(être)* moins pénible si le salaire était plus élevé. • Vous *(devenir)* de bons élèves si vous appreniez vos leçons.

... /5

▶**311** Réponds à ces questions sur les verbes fondamentaux au conditionnel présent.

1. Quel verbe s'écrit avec **r** à l'infinitif et **rr** au conditionnel ?

2. Les terminaisons changent-elles d'un verbe à l'autre ?

3. Quelle lettre termine toujours la 1ʳᵉ personne du singulier ?

4. Quelle est la 3ᵉ personne du singulier des verbes *être* et *faire* ?

5. « *Ils verraient* » : est-ce le verbe *venir* ou le verbe *voir* ? ... /5

PAR ♥

une solution	enfoncer	un ravin	une menace
une conversation	enlever	le venin	avancer
une foire	embrasser	une farce	sucer
tricolore	rompre	une surface	rincer

81 le conditionnel présent

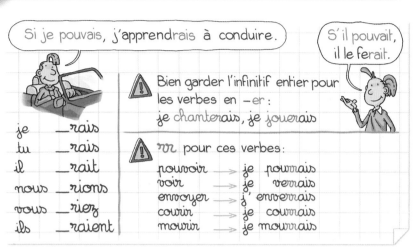

OBSERVE

Si je pouvais, j'apprendrais à conduire.

S'il pouvait, il le ferait.

Bien garder l'infinitif entier pour les verbes en –er :
je chanterais, je jouerais

rr pour ces verbes :

je	_rais	pouvoir → je pourrais
tu	_rais	voir → je verrais
il	_rait	envoyer → j'enverrais
nous	_rions	courir → je courrais
vous	_riez	mourir → je mourrais
ils	_raient	

RETIENS

■ Les verbes réguliers terminés par **-er** ou par **-ir** gardent l'infinitif entier dans la conjugaison : *je chanterais, je finirais*.

■ Au conditionnel présent, les verbes *pouvoir, voir, envoyer, courir, mourir* s'écrivent avec **deux r**.

312 **Écris les verbes entre parenthèses au conditionnel présent.**

Si tu voulais, tu t'*(inscrire)*, tu *(courir)* bien et tu *(gagner)* la course. Tout le monde *(applaudir)*. Une majorette te *(tendre)* un bouquet et t'*(embrasser)*. Tu *(monter)* alors sur le podium et le maire te *(féliciter)*. Des journalistes te *(photographier)* et on te *(voir)* dans le journal.   Corrigé p. 166   ... /10

▶ **313** **Complète les verbes au conditionnel présent.**

Si je pouvais, je jou**er**... au rugby. Si vous pouviez, vous jou... du piano. ● Si tu voulais, tu distribu**er**... les cartes. Eux, ils distribu... les journaux. ● Si je savais le faire, je pli**er**... ma chemise. Si tu étais gentil, tu pli... la carte. ● Si on pouvait, on étudi**er**... le chinois. Si elles pouvaient, elles étudi... le russe. ● S'il avait le temps, il vérifi**er**... ses calculs. Si vous étiez sérieux, vous vérifi... les comptes.   ... /10

  AR ♥

| **pl**ier | nui**re** | abriter | le lila**s** |
| **oubl**ier | détrui**re** | **é**viter | un compa**s** |

Révision

Les règles révisées sont indiquées à la fin des consignes. L'élève peut ainsi relire une règle avant de faire son exercice, ou bien la réviser après, en cas d'erreur. Les exercices sans règle indiquée contrôlent les mots à savoir écrire par cœur en fin de CM1.

Chaque fiche débute par un court texte à compléter. Il faut le lire en entier avant de répondre. Les lettres ou les mots à retrouver sont signalés par trois points de suspension, quelle que soit la longueur de la réponse. Plusieurs réponses sont parfois proposées entre crochets : une seule est correcte.

Les exercices sont prévus avec cinq, dix ou vingt réponses pour pouvoir être notés facilement. Les plus difficiles sont signalés par un petit triangle : ▶. Certaines fiches sont corrigées en fin d'ouvrage et permettent l'auto-correction.

1 **Texte à compléter.** (Règles 9, 10, 54, 63, 71)

Réveil à la ferme. Huit heur... du matin et le coq n'a pas chant... ! Un renar... l'a-t-il mang... ? Le pa...san [i/y] saute de son lit et cour... en pyjama jusqu'au poul...er [aill/eill]. Le coq est bien là, immobile, entour... de ses poules qui le regard... d'un œil ahuri. Qu'a-t-il donc sur la tête ? Une chaussette ! Il atten... que le soleil se lèv..., car bien sûr, il fai... nuit sous la chaussette. « Encore une idé... de Ratus pour dormir plus longtem... ! » s'écri... le fermier.

Question. Dans le texte, trouve les cinq mots qui ont un h. Précise chaque fois si cette lettre est nécessaire pour la prononciation du mot. (R 24)

... / 20

2 **Trouve le masculin en -ier des noms suivants. Attention ! Pour l'un d'eux, c'est impossible.** (R 20)

l'épicière, une cavalière, une cuisinière, la garde-barrière, la couturière.

... / 5

3 **Puzzle de syllabes. Avec ces dix syllabes, tu peux former cinq mots. Lesquels ?** (R 25)

... / 5

4 **Qu'a-t-on voulu écrire ? Rétablis l'orthographe correcte.**

Ex. : un *chat moi* → un chamois.

un *chat sœur*   un *chat pot*   un *chat mot*

   un *chat grain*   un *chat thon*

... / 5

5 **Rébus. Trouve cinq mots : trois noms et deux verbes.**

Ex. : S + 🍐 → *espoir.*

... / 5

Corrigés p. 166

2 Fiche de révision

6 **Texte à compléter.** (Règles 15, 34, 47, 48, 53)

La couleuvre. La couleuvre ... [a/à] collier vi... près
des lieu... humides. Elle ... [a/à] une langue fourchue.
Elle peu... nager et plonger. En juillet, elle pon... de ...[10]
à ...[30] œufs, que la femelle enfoui... sous des végétau... .
Les œufs éclos... environ ...[80] jours plus tard et donn...
naissance à des petits qui mesur... une quin...aine
de centimètres.

**Question. Quel mot du texte est de la famille de chacun
de ces mots : *naître, fourche, col, mètre, féminin.*** ... / 20

7 **Un mot simple peut être reconnu dans chacun des mots
suivants. Trouve ces cinq mots.** (R 14)

vingtaine, cinquante, septième, centaine, sixième. ... / 5

8 **Dans les mots suivants, on a enlevé des n. Remets-les,
puis écris les mots que tu obtiens.** (R 21)

une conso...e, le ci...éma, une mandari...e,
pardo...er, une lio...e. ... / 5

9 **Puzzle de syllabes.
Avec ces dix syllabes,
tu peux former cinq mots.
Lesquels ?**

... / 5

10 **Grille de mots. Les voyelles ont été enlevées !
Avec six A et quatre E, tu peux compléter cette grille.**

Animal familier →	C	H		T		
Action d'acheter →		C	H		T	
Mettre dans un endroit secret →	C		C	H		R
Avancer avec les pieds →	M		R	C	H	R
Enlever une attache →	D		T		C	H	R

... / 5

Corrigés p. 167

11 Texte à compléter. (Règles 15, 19, 53, 56, 64)

Les chiffres magiques. En classe, Nigodon a oblig…
Lisette à faire ses opéra… . Par chance, Super-Mamie est
cach… derrière un placard. Elle lance des étincel… magiqu…
sur le crayon de Lisette : les …[9] se renversent et devien…
des six, les deux se tord… pour faire des trois
et les …[8] se chang… en zéros ! Quand le pare…eux [s/ss]
ren… son devoir, tout est fau… . Il devra le refaire pendan…
la récréa… !

**Question. Dans le texte, cherche le verbe qui est au futur.
Écris-le aux autres personnes du futur.** (R 68) … / 20

12 **Pour répondre aux questions suivantes, utilise un mot
de la même famille que le mot écrit en italique.** (R 14)

Qui travaille au *commissariat* ? à la *banque* ? derrière la *caisse* ?
à la *boulangerie* ? dans un *secrétariat* ? … / 5

13 Puzzle de syllabes.
**Avec ces dix syllabes,
tu peux former cinq mots.
Lesquels ?**

… / 5

14 Vrai ou faux ? (Règles 23, 37, 45, 54)

a. **son** est une forme du verbe *être*.

b. S'il a deux sujets au singulier, le verbe est au pluriel.

c. Le sujet d'un verbe est toujours à côté du verbe.

d. La lettre **x** sert seulement à marquer le pluriel des noms.

e. **qu'elle** contient le pronom sujet **elle**. … / 5

15 Rébus. Trouve cinq noms masculins.

… / 5

Corrigés p. 167

16 **Texte à compléter.** (Règles 34, 38, 41, 61, 76)

Un joli dessin

– Je suis ici, dit Zoé. Ça, … [ces/c'est/cet] papa, et … [a/à] côté, … [ces/c'est/cette] maman. Toi, tu … [ai/es/est] là, avec Minet.
Elle montr… un bonhomme hau… comme trois pomm…, le plus petit de tous. Son frère protest… :
– … [on/ont] m'a souvent répét… [é/er] que je n'ét… [ais/ait] pas très gran…, mais au point d'être plus petit qu'un chat, ça perso…e n'avait encore jamais os… me le dire !
– Je t'ai dessin… [é/er] aussi joli que lui, dit la fillette.

Question. Dans le texte, trouve cinq mots invariables qui ont cinq lettres ou plus. (R 29)   … / 20

17 **Un mot simple peut être reconnu dans chacun des mots suivants. Trouve ces cinq mots.** (R 14)

crier, médecine, ralentir, marine, pancarte.   … / 5

18 **Mots à reconstituer. Voici des morceaux de mots. Trouve celui qui complète les cinq autres, puis écris ces cinq mots.**

entrev   recev   prév   pleuv   oir   fall   … / 5

19 **Qu'a-t-on voulu écrire ? Rétablis l'orthographe correcte.**

un *pain sot*   un *phare d'eau*   la *peau lisse*

le *bouc est* de fleurs   une tranche de *gens bons*

… / 5

20 **Grille de mots. Avec cinq E, deux A, deux I et un O, tu peux compléter cette grille. Attention ! Deux E ont un accent.**

Quand je dors, je … →	R		V		
La voiture est tombée dans un … →	R		V	N	
L'oiseau qui tape sur un tronc est un … →	P		V	R	T
Je me lave les mains avec du … →	S		V	N	
Le liquide qui nourrit les plantes, c'est la … →	S		V		

… / 5

Corrigés p. 167

21 **Texte à compléter.** (Règles 44, 46, 47, 51, 64)

Le hérisson. Il se … [mais/met/mes] en chasse le soir.
Il crain… les blaireau… et les renards. Les voitures sont
dangereu… pour lui, car il peut se faire écraser en traversant
une route. Il mange parfoi… des grenouilles et des lézar…
qu'il chasse dans les fossé… ou les hai… . … [mais/met/mes]
il se nourri… surtout d'escargo…, de ver… de terre
et de limaces gris…, noir… ou rouge… .

**Question. Dans le texte, trouve un mot de la même famille
que chacun de ces noms : *un terrain, la nourriture, un chasseur,
une mangeoire, le danger.*** (R 14)

… / 20

22 **Cinq mots simples expliquent les noms de ces métiers.
Trouve ces mots.** (R 14)

un pompiste, un camionneur, un parfumeur, un fromager,
un journaliste. … / 5

23 **Mots à reconstituer. Voici des morceaux de mots. Il y en a un
qui complète les cinq autres. Écris ces cinq mots.** (R 17)

| chass | mang | profond | eur | maigr | froid |

… / 5

24 **Vrai ou faux ?** (Règles 36, 38, 62, 69)

a. À la 3ᵉ pers. du sing., le verbe *pouvoir* se termine par un **x**.
b. **ce**, **cet**, **cette**, **ces** contiennent l'idée de montrer.
c. **se** s'emploie toujours avec un verbe.
d. **ai**, **vas**, **sais** sont trois formes du verbe *avoir*.
e. **es**, **est**, **été** sont trois formes du verbe *être*. … / 5

25 **Rébus. Trouve cinq verbes.**

… / 5

Corrigés p. 167

26 **Texte à compléter.** (Règles 8, 40, 46, 54, 76)

Le poisson combattant. Le mâle prépar... un nid de bull... qui flotte dans l'aquarium. Quand la femelle pond ... [ses/ces] œufs, il les récupèr... et les plac... dans le nid.
Une fois la ponte termin..., il chasse la femelle. Pour la protég..., il faut l'enlev... et la chang... de bocal. ... [Ces/C'est] le mâle qui s'occup... des œufs. Il répar... le nid en y soufflant des bulles d'air, il ventile les œufs avec ... [ses/ces/c'est] nag...oires et il retire ceux qui s'abîm... .

Question. Écris les noms féminins en -tion correspondant à ces verbes : *récupérer, occuper, préparer, protéger, réparer.* (R 14, R 19) ... / 20

27 **Dans chaque paire de mots, il y a un mot commun. Écris ce mot.**
alarme et gendarme ; centaine et centime ; poliment et politesse ; septembre et septième ; dentelle et dentiste. ... /5

28 **Puzzle de syllabes. Avec ces dix syllabes, tu peux former cinq mots. Lesquels ?**

{nir} {lieu} {mi} {mal} {frir}
{jau} {lé} {nor} {of} {zard} ... /5

29 **Qu'a-t-on voulu écrire ? Rétablis l'orthographe correcte.**
l'*aile et faon*   le *repas sage*   c'est *houx vert*
un *veau laid*   les *vestes hier* ... /5

30 **Grille de mots. Tu peux compléter cette grille avec six E, trois A, deux U, un O et un I.**

Mettre en morceaux → C		S	S		R
Faire un trou → C	R			S	R
Aller à la chasse → C	H		S	S	R
Passer à côté de quelqu'un → C	R			S	R
Parler, discuter → C			S	R	

... /5

Corrigés p. 168

31 **Texte à compléter.** (Règles 39, 68, 72, 76, 78)

Le faux malade. Paul n'aimait pas all... à l'école.
Tou... les matins, il se plaign... d'avoir mal au ventre
ou à la tête. Un jour, il dit même qu'il avait mal partou...
et il fit semblant de touss... . Sa mère avait compr... .
Elle souri... et lui dit :
« Je vais appel... une ambulance qui t'emmènera à l'hôpital.
Là-bas, on te soign... bien mieux qu'à la maison. »
Paul se lev... aussitôt : il était guéri ! ... /10

32 **Un mot simple peut être reconnu dans chacun des mots
suivants. Trouve ces cinq mots.** (R 14)

champagne, graine, crinière, laitier, drapeau. ... /5

33 **Complète chaque fois par un homonyme du mot en gras.** (R 28)

un **cours** d'eau	le **ver** de terre	le **cou** du cygne
la ... de l'école	un ... de lait	il ... un bouton
un pantalon ...	un ballon ...	un ... de tête
le ... d'anglais	un ... à pied	
le ... de tennis	aller ... la gare	... /5

34 **Mots à reconstituer. Voici des morceaux de mots. Trouve celui
qui complète les cinq autres, puis écris ces cinq mots.**

      ... /5

35 **Vrai ou faux ?** (Règles 11, 18, 35, 46, 67)

a. À partir de **bon**, je peux écrire *bonté*.
b. **ce** s'emploie toujours avec un verbe.
c. Au pluriel, un nom prend un **s**, parfois un **x**.
d. Le verbe *courir* s'écrit avec un seul **r** au futur.
e. Pour pouvoir mettre un accent sur un **e**, il faut que le **e**
soit à la fin d'une syllabe. ... /5

36 **Rébus. Trouve cinq mots.**

... /5

8 Fiche de révision

37 **Texte à compléter.** *(Règles 39, 42, 54, 66, 70)*

Les chèvres de M. Seguin. M. Seguin n'avait jamai...
... [eu/eut] de bon...eur avec ses chèvres. Il les perdai...
tou... de la même fa...on [s/c/ç] ; un beau matin, elles cassai...
leu... cordes, s'en allai... dans la montagne, et là-haut le loup
les mangeai... . Ni les caresses de leu... maître, ni la peur
du loup, rien ne les retenai... . C'était, paraît-il, des chèvres
indépendant... voulant à tou... prix le grand air et la liber... .

D'après A. Daudet, *Lettres de mon moulin.*

Question. Dans le texte, trouve le contraire de ces mots :
le malheur, la captivité, dépendant, trouver, toujours. ... / 20

38 **Chaque paire de mots a un groupe de lettres semblables.**
Écris cette partie commune. (R 14)

pronom et surnom ; profondeur et plafond ; enfilé et filet ;
poignet et poignée ; chiffre et déchiffrage. ... / 5

39 **Puzzle de syllabes.**
Avec ces dix syllabes,
tu peux former
cinq mots. Lesquels ?

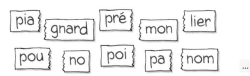

... / 5

40 **Qu'a-t-on voulu écrire ? Rétablis l'orthographe correcte.**

un *pas laid*   faire *sans blanc*   la *bouche rit*
fermer le *riz d'eau*   mettre le *cou vert* ... / 5

41 **Grille de mots.**
Complète cette grille avec 3 E, 3 I, 3 U, 3 O et 1 A.

Cuire dans de l'huile →	F	R		R			
Donner un cadeau →		F	F	R		R	
Petite boîte →	C		F	F	R		T
Avoir mal →	S			F	F	R		R
Celui qui conduit →	C	H			F	F			R

... / 5

42 **Texte à compléter.** (Règles 11, 43, 47, 76, 80)

Danger de l'orage. Lorsque la foudre tombe, l'énorme én…rgie
él…ctrique déploy… se propage dans la terre.
Elle ser… [ait/rait] dangereuse pour quelqu'un qui, près
de … [la/là], cour… [ait/rait] se mettre à l'abri, ou se tiend…
debout, les jamb… écart… . Entre les pied… en contact avec
le sol (ou entre les patt…, s'il s'agit d'animau…), un très fort
courant pour… [ait/rait] pass… dans le corps qui conduit
mieux l'él…tricité que la terre.

**Question. Trouve les adjectifs qui correspondent
à ces adverbes :** *fortement, énormément, dangereusement,
brutalement, gravement.* (R 27)

… / 20

43 **Écris le masculin en -er des noms suivants.
Attention ! Pour l'un d'eux, c'est impossible.** (R 20)

une passagère, une propriétaire, une messagère,
une étrangère, la conseillère.

… / 5

44 **Mots à reconstituer. Voici des morceaux de mots. Trouve celui
qui complète les cinq autres, puis écris ces cinq mots.**

 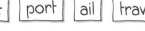

vitr · bét · dét · port · ail · trav

… / 5

45 **Vrai ou faux ?** (Règles 8, 17, 30, 38, 41)

a. **Ont** est le verbe *avoir* au pluriel.
b. Beaucoup de noms féminins sont terminés par **-eure**.
c. La cédille se met seulement avant **a**, **o** et **u**.
d. Un verbe ne se termine jamais par **-oire**.
e. **C'est** peut être suivi d'un groupe du nom.

… / 5

46 **Rébus. Trouve cinq verbes.**

… / 5

10 Fiche de révision

47 **Texte à compléter.** (Règles 31, 57, 61, 63, 73)

Le corbeau. Un jour, mon oncle a trouv... un corbeau
bless... . Il aime racont... : « Je l'... [ai/est] soigné et
je l'... guéri, mais il ... [et/est] resté tout l'hiver en haut
du buffet ! » Maintenant, l'oiseau ... [ai/est] apprivoisé.
Il s'est attach... à mon oncle. Il le sui... partout. Quand mon
oncle mang..., il s'install... sur la table et picor... les miettes.
Mais ce qu'il préf...re, ce sont les croquettes du chat.
Il en vole autant que son bec peut en contenir ... [et/est]
il va les cach... en haut du buffet !

Question. Dans le texte, un nom commence par h.
Écris-le. Trouve ensuite le synonyme de chacun de ces mots.
Il commence aussi par la lettre h : *content, une maison,*
une pendule, mouillé. (R 24) ... / 20

48 **Chaque paire de mots a un groupe de lettres semblables. Écris**
cette partie commune.

oiseau et oisillon ; environ et virage ; microscope et
microbe ; justement et justice ; château et museau. ... / 5

49 **Puzzle de syllabes.**
Avec ces dix syllabes,
tu peux former
cinq mots. Lesquels ?

... / 5

50 **Qu'a-t-on voulu écrire ? Rétablis l'orthographe correcte.**

un *fou haie*   un *pas quai*   un *cou saint*
        un *nez change*   un *pot aime* ... / 5

51 **Grille de mots. Complète cette grille avec 7 A, 5 I, 1 O, 1 U et 1 E.**

Rangée d'arbustes autour d'un pré →	H					
Légèrement froid →	F	R		S		
Contraire de toujours →	J		M		S	
Pas bon du tout →	M		V		S	
Dessin ou photo d'une personne →	P		R	T	R		T

... / 5

147

Dictées

Avec les dictées qui suivent, l'élève met en pratique les règles étudiées. Les cinq principales sont indiquées au début de chaque texte.

1 La rentrée Règles 25, 29, 31, 33, 63.

Julien serre la main de Manon qui le conduit jusqu'à la porte de sa classe. Il est heureux d'aller dans la même école que sa grande sœur. Il est très fier, car cette année, il entre au CP et il va apprendre à lire. Devant la porte, elle l'embrasse et lui dit : « Travaille bien, champion ! »

2 Le chaton Règles 6, 14, 28, 46, 51.

Le petit chat saute sur la table basse et découvre un gros bocal de poissons rouges. À travers la vitre ronde, les poissons semblent si énormes qu'il recule et tombe sur le tapis, les quatre pattes en l'air ! Il se redresse et court vers sa mère, comme s'il avait vu des monstres terribles.

3 Un rasoir qui fait peur Règles 27, 35, 54, 63, 64.

Le matin, à six heures, mon chien attend que je sorte du lit. Quand vient ce moment, il me suit dans la salle de bains et il s'assoit sur son derrière en regardant fixement mon rasoir électrique. Il aboie comme s'il voulait dire : « Ce truc qui fait du bruit, si tu me le passes sur le menton, je te mords ! »

4 Une journée Règles 11, 12, 41, 58, 73.

On est à la gare ou dans le métro. On court, on s'entasse. Dans la rue, on se dépêche, on téléphone. Le soir, on retrouve ses enfants. Ils chantent, ils ont le sourire. Quand ils ont couru, c'était pour jouer au ballon, pour aller en récréation... Alors on rêve parfois de redevenir enfant !

5 En retard Règles 32, 35, 41, 53, 63.

Les enfants courent sur le chemin du stade. Ils ont peur d'être en retard. Parfois, le plus rapide se retourne et crie à ses copains : « Plus vite ! ». Ils arrivent au moment où l'arbitre se dirige vers la pelouse avec le ballon. Ouf ! Ils ont juste le temps d'enfiler la tenue de leur équipe.

6 Les chiens
Règles 21, 42, 53, 76, 78.

Au bruit de la sonnette, les chiens se mirent à aboyer. Leur maître leur cria de se taire et de se coucher, mais ils refusèrent d'aller dans leurs paniers. Ils m'avaient reconnu et savaient que je leur apportais toujours des biscuits !

7 Les voisins de Léon
Règles 12, 34, 48, 52, 62.

Léon a mal à la tête. Ses voisins lui en font voir de toutes les couleurs et il en prend même des cheveux blancs ! Axel promène son chien sur sa pelouse. Juliette met des pots de fleurs en équilibre sur le rebord de sa fenêtre. Arthur joue de la trompette à minuit. Le pauvre Léon en devient fou !

8 En bateau
Règles 14, 26, 36, 46, 55.

Le bateau plonge tout à coup dans le courant. Mistouflette s'est bien calée. Les deux jambes en avant, les mains sur les bords, elle se laisse emporter. Au moment où le bateau pique du nez, elle aime sentir un petit pincement au creux de son estomac. Cela lui rappelle le grand huit de la fête foraine.

D'après Giorda, *La plante mystérieuse.*

9 Les chats
Règles 25, 47, 53, 56, 78.

Depuis un moment, les chats attendaient devant la maison. Les voisins avaient terminé leur repas et des morceaux de poulet étaient restés dans leurs assiettes. Les chats s'étaient approchés de la fenêtre ouverte. Ils sautèrent dans la pièce. En deux minutes, ils léchèrent tous les plats !

10 La grotte
Règles 28, 50, 53, 70, 72.

Mes parents nous avaient interdit d'entrer dans la grotte. Ils nous avaient mis en garde. Ils avaient parlé de roche mouillée, glissante. Mais Paul racontait qu'il connaissait la grotte comme sa poche. Et un jour, on l'a suivi. À peine entré sous terre, il a glissé et il a disparu dans un trou. On a couru chercher de l'aide et il a été sauvé. Il avait de la boue sur le bout du nez !

Dictées

11 Une leçon de pêche Règles 15, 44, 63, 64, 75.

Papa est assis dans la barque. Il lance sa ligne dix fois, vingt fois. Deux heures passent. Soudain, il murmure :
– Je sens que ça mord. Regarde bien et ne bouge pas.
Il tire sur sa ligne, et un petit poisson sort de l'eau.
– Une carpe, annonce papa, tout fier. Elle n'est pas grosse, mais avec des pommes de terre, cela fera un bon repas !

12 Un drôle de facteur Règles 19, 51, 66, 73, 76.

Alexandre triait le courrier pour préparer sa distribution. Il lisait les journaux et flairait les lettres pour en deviner le contenu. Il en ouvrait quelques-unes. Il estimait que c'était son devoir de connaître la vie du village et de dénicher le courrier porteur de mauvaises nouvelles. Alors il le jetait, car il voulait seulement distribuer les bonnes nouvelles.

D'après J.-P. Nozière, *Le facteur tête en l'air.*

13 La bataille de l'eau Règles 27, 43, 56, 58, 69.

Nicolas a trempé son éponge dans la baignoire et il me l'a jetée à la figure ! Je lui ai lancé la mienne, et il y a eu une belle bataille d'éponges ! La salle de bains était inondée. Le chien est venu et il a sauté partout en aboyant. Heureusement, nos parents étaient sortis ! On a tout épongé avec les serviettes de toilette avant leur retour.

14 Éva et les légumes Règles 10, 46, 51, 54, 66.

Éva n'aimait pas les légumes. Elle les mangeait en fermant les yeux et en imaginant que c'était autre chose. Les betteraves rouges, c'était de la crème glacée à la framboise. Les champignons, c'était du chocolat. Les asperges, de la crème anglaise. Mais pour les épinards, elle avait tout essayé. Rien à faire, ils ne passaient pas. Éva détestait les épinards !

15 Jour de mariage Règles 24, 53, 55, 73, 77.

Quand ma sœur fut lavée, habillée, coiffée et parfumée, il était onze heures. Nous étions en retard pour le mariage. Nos parents étaient déjà partis en voiture. Et mes chaussures n'étaient pas cirées. Heureusement, mon oncle et ma tante vinrent nous chercher. Nous étions sauvés !

16   Le déménageur   Règles 29, 40, 70, 72, 78.

Mon oncle avait entassé ses meubles dans le garage et le déménageur avait promis de les enlever le jour suivant. Un mois plus tard, il n'était toujours pas venu. Un soir, il téléphona qu'il viendrait le lendemain à l'aube, mais le camion n'est jamais arrivé chez nous. On a fini par déménager les meubles avec l'aide des voisins.

17   Près de la mare   Règles 57, 67, 68, 73, 78.

Assis sur un mur, Thomas rêvait en regardant des canards plonger leur bec dans l'eau : « Quand je serai grand, j'aurai des canards. Ils feront des petits, je ferai du foie gras et je le vendrai. Avec l'argent, je pourrai m'acheter un bateau. J'irai sur la mer... » Il pensa à l'océan, aux vagues, et il tomba du mur au milieu des canards...

18   Le rêve de Lilou   Règles 45, 51, 78, 80, 81.

Lilou avait six ans quand on lui demanda quel métier elle ferait plus tard. Elle répondit qu'elle serait vendeuse dans le grand magasin où il y a un manège, qu'elle arriverait en avance le matin et pourrait ainsi faire des tours gratuits avant le début du travail. En attendant ce jour heureux, elle décida qu'elle apprendrait à faire des gâteaux avec sa mamie.

Références des extraits

Exercices de révision : **1, p. 138** J. et J. Guion, *Ratus à la ferme,* coll. Ratus Poche, Hatier ■ **11, p. 140**. J. et J. Guion, *Les farces magiques de Super-Mamie,* coll. Ratus Poche, Hatier ■ **31, p. 144** C. et J. Delile, *Histoires et proverbes d'animaux,* coll. Ratus Poche, Hatier ■ **37, p. 145** D'après A. Daudet, *Lettres de mon moulin.*
Dictées : **8, p. 149** D'après Giorda, *La plante mystérieuse,* coll. Ratus Poche, Hatier ■ **12, p. 150** D'après J.-P. Nozière, *Le facteur tête en l'air,* coll. Ratus Poche, Hatier.

Test final

Passe ce test sans dictionnaire et sans regarder dans le livre.
Les vingt questions posées correspondent à des règles
qui sont au programme de CM1.

1 **Complète ces mots par eur ou eure.**
une h............... la longu...............

2 **Complète au présent de l'indicatif.**
il vien...... il choisi...... il remerci......

3 **Choisis entre c et ç pour compléter.**
c'est fa...ile la fa...on

4 **Écris ces mots au pluriel.**
un cheveu : .... un clou : ....

5 **Conjugue le verbe savoir à la 1re personne du singulier
et à la 1re personne du pluriel du passé composé.**
Hier, j'................. répondre, nous .... répondre.

6 **Que manque-t-il : la, l'a ou là ?**
Une guêpe ...... piqué.

7 **Complète et accorde les participes passés, si nécessaire.**
Les places sont réserv...... aux locataires.
Elle a rang...... sa voiture le long du trottoir.

8 **Écris l'adverbe en -ment qui correspond aux adjectifs suivants.**
propre : .... heureux : ....

9 **Conjugue le verbe attendre aux trois personnes
de l'impératif présent.**
C'est un ordre : ....

10 **Complète par c'est, s'est, sais ou sait.**
.... le vase bleu qui .... brisé en tombant.

11 **Accorde les verbes (au présent de l'indicatif).**
Victor et Marion protèg...... leur petit frère quand les grands
se moqu...... de lui.

12 **Complète ces mots par ère ou par aire.**
le caract........   un commiss........   la mis........

13 **Complète par le verbe nager à l'imparfait de l'indicatif.**
Mon grand-père .... beaucoup quand
il était jeune.

14 **Ajoute é, er, ez, ais ou ait au verbe.**
On vous demande de rapport...... les livres.

15 **Écris le féminin de ces adjectifs.**
joyeux : ....   gratuit : ....   noir : ....

16 **Écris le verbe entre parenthèses au passé simple.**
Quand il vit le faisan, le chien *(s'arrêter)* ....

17 **Complète par quel, quelle ou qu'elle.**
.... belle caméra !

18 **Dans cette phrase, ajoute le nombre 4 en lettres.**
On a changé les .... pneus de la voiture.

19 **Écris le verbe entre parenthèses au conditionnel présent.**
Si tu voulais, tu *(gagner)* .... facilement.

20 **Remplace les trois ronds par *une virgule, un point, un point d'interrogation* ou *un point d'exclamation*.**
Il lui cria :
– Attends-moi • Je suis presque prêt • Où allons-nous •

(1 point par question entièrement réussie). ... / 20

Relève les numéros des questions où tu as fait des erreurs.
À côté, figurent les règles que tu dois réviser.

① R17	⑥ R43	⑪ R53 R54	⑯ R78
② R63	⑦ R55 R56	⑫ R20	⑰ R45
③ R8	⑧ R27	⑬ R66	⑱ R15
④ R48	⑨ R75	⑭ R73 R76	⑲ R81
⑤ R69	⑩ R40	⑮ R50	⑳ R13

153

Corrigés

Chaque fiche prévoit vingt réponses. Chaque réponse juste vaut un point

Fiche 1, page 12

1. il envoie → envoyer ; il se sert → se servir ; il voit → voir ; il serre → serrer.
2. la fum**ée**, une rang**ée**, la rentr**ée**, une arriv**ée**, une port**ée**.
3. une chienne, une musicienne, une Indienne, la gardienne, une Parisienne.
4. extincteur, message.
5. *Quatre mots parmi* : comme, homme, pomme, somme, tomme *(fromage de Savoie).*

Fiche 2, page 13

6. des bâtons **fins**, **longs** et **ronds** ; une baguette **fine**, **longue** et **ronde**.
7. Les pâtes **carrées** sont plus **faciles** à prendre. Un macaroni **carré** est plus **facile** à prendre.
8. les **pattes** du chien ; des **pâtes** à la tomate ; ses **pattes** sont sales ; du beurre dans sa **pâte**.
9. Il faut enlever **fusil** et **persil**.
10. une casquette, une trompette, une planche, une fillette.

Fiche 3, page 14

11. la lettre **s**.
12. **Moi**, j'attends sa lettre depuis un **mois**.
    Toi, tu prends l'échelle pour monter sur le **toit**.
13. tu dors, nous dormons, ils dorment.
14. il passe **ses vacances** ; nous passons **nos vacances** ; où passez-vous **vos vacances** ?
15. court, bavard, sot, chaud.
16. un cavalier, une infirmière, l'épicier, le charcutier, une bijoutière.

Fiche 4, page 15

17. verbe **se blottir**.
18. une planche à **pain** (pour couper le pain) ; une planche à **roulettes** (qui a des roulettes) ; une planche à **voile** (qui a une voile) ; une planche à **billets** (pour imprimer les billets de banque).

19. sommes : **être** ; fait : **faire** ; caresse : **caresser**.

20. dans mes bras, dans **les miens**, à **moi** ; dans tes bras, dans **les tiens**, à **toi**.

21. des trous, des coucous, un fou, des sous, des kangourous.

22. un pas, être las, un tas, un matelas, un cadenas.

Fiche 5, page 16

23. écris : écrire ; dis : dire ; sais : savoir.

24. Tu **écris** à **ton** grand-père. Elles **écrivent** à **leur** grand-père.

25. un balai, croire, la joie, le roi, un emploi.

26. grosse, grande, lourde, basse, sourde.

27. J'écris **ç** avant **o**, **on**, **oi**, **ou**, **oin** (tous les groupes de lettres qui commencent par un o).

Fiche 6, page 17

28. il va → aller ; on sait → savoir ; elle veut → vouloir ; je dois → devoir.

29. a. Ils l'empêchent de dormir.

b. Ils les empêchent de dormir.

c. Il l'empêche de dormir.

30. poisson, dessert, coussin, basse, possible.

31. C'est la lettre **r** : cou**r**ir, gué**r**ir, fleu**r**ir.

32. des journ**aux**, un can**al**, un chev**al**, des boc**aux**, un sign**al**.

Règles d'orthographe

1. ses promesses, une feuille, ces récoltes, le vestiaire, ma bague.

2. *Le dessin du groupe nominal fait penser à une cuillère. Tu as dû le tracer sous* : la boucherie, des casseroles, un secret, le toit, des tuiles, du sirop, ton lait, ton ordinateur, ce chien, des puces.

3. *Une personne* : un gendarme, une actrice, un juge. *Un animal* : un faisan, une brebis. *Une chose* : une allumette, un aspirateur, un parapluie. *Une idée* : la liberté, un défaut.

6. des yeux, un buisson, des médecins, un étage, une poussette, une clé, une médaille, des virages, un écran, une jambe.

9. *les pompiers* : **ils** sont venus ; *la vallée* : **elle** disparaît ; *ces étoffes* : **elles** coûtent cher ; *ta calculette* : **elle** n'a pas servi ; *vos factures* : **elles** sont prêtes ; *cette tranche de viande* : **elle** est épaisse ; *les drapeaux* : **ils** flottaient ; *ses chaussettes* : **elles** sont usées ; *une avalanche* : **elle** bloque la route ; *les fleurs* : **elles** sentent bon.

10. Le pompier conduit la voiture. Le vendeur conduit la voiture. La fillette pilote l'avion. Ma sœur pilote l'avion. Sa mère pilote l'avion. Les gendarmes lavent la vaisselle. Les apprentis lavent la vaisselle. Les garçons lavent la vaisselle. Les infirmières font le ménage. Les filles font le ménage.

11. *Tu as dû entourer ces dix mots en gras* : **ils** sont ; **elle** dormait ; **tu** peux ; **nous** sommes arrivés ; **on** nagera ; **ils** ouvrent le portail, puis **ils le** referment ; va **la** poster ; **elles** ont peur.

13. *Tu as dû souligner ces dix groupes du nom :* la valise, un rayon, des fraises, du sucre, la grotte, cette coiffure, les clous, la boîte, les arbres, leurs feuilles. *Tu as dû entourer ces dix pronoms* : **il** soulève, **la** pose, **elle** cueille, **les** mange, **on** entre, **la** visiter, **il** a rangé, apporte-**la**, **on les** ramasse.

15. *Adjectifs* : dangereux, bossu, tricolore, mou, soigneux. *Verbes* : comprendre, enlever, quitter, grogner, trouver.

16. blonde, brune, courageux, chauve, curieux, inutile, primaire, puissant, agréable, instructif.

17. oublie (oublier), mesura (mesurer), remplit (remplir), avançait (avancer), avoua (avouer), souhaite (souhaiter), pesiez (peser), ouvre (ouvrir), ralentit (ralentir), rougit (rougir).

19. libérer, libre ; sourire, souriant ; pâlir, pâle ; jaunir, jaune ; centrer, central ; se piquer, piquant ; mentir, menteur ; distraire, distrait ; admirer, admirable ; calmer, calme.

21. *Tu as dû faire dire à "P'tit Oui"* : Paul a gagné. Il courbait la tête. Capucine voyait la mer. Elle désobéit. On a obtenu ce qu'on voulait. Il vérifia les freins. On entre (*ou* : on entre encore, on entre toujours). Il suçait son pouce (*ou* : il suçait toujours son pouce). Il m'a invité. Papa le console.

23. *Tu as dû faire dire à "P'tit Oui"* : Tu as un mouchoir. Elle avait des frères. Nous partirons très tôt demain matin. Vous êtes prêts. On peut faire quelque chose. Il s'est envolé avec sa proie. Il a perdu son chemin. Vous le trouvez joli. Vous habitez dans une ville. Elle sera heureuse.

25. *Ont le son « z »* : raison, désobéir, la conjugaison, troisième, groseille, résumé. *Ont le son « sss »* : glissade, tousser, repassage, richesse.

26. la lisière, dépasser, une émission, une casserole, la moisson, entasser, creuser, une cerise, un frisson, une position.

28. une bague, une guirlande, un wagon, obligatoire, naviguer, la guerre, un bagage, fatigué, rugueux, une rigole.

29. un bocal, compliqué, croquer, un cabinet, le parquet, une équipe, une cicatrice, un découpage, un requin, l'éducation.

31. un pigeon, courageux, il bougeait, fragile, un bourgeon, un jugement, un garagiste, rougeâtre, rougir, il chargea.

32. un garçon, principal, il lançait, dénoncer, un médecin, une façade, merci, un colimaçon, une leçon, une sucette.

34. un réveil, une oreille, une écaille, une grenouille, une feuille, un orteil, une médaille, un chevreuil, une bouteille, un portail.

37. la j**oi**e, le r**oy**aume, un cr**ay**on, incr**oy**able, la f**ui**te, du br**ui**t, une v**oy**elle, un n**oy**er, une r**ai**e, de la s**oi**e.

39. un centim**è**tre, m**é**chant, ob**é**ir, le pr**é**sident, en col**è**re, le cinqui**è**me, un l**é**zard, de la fi**è**vre, malgr**é**, du m**é**tal.

42. une ar**ê**te, un invit**é**, un ch**ê**ne, la f**ê**te, l'agneau b**ê**le, une po**é**sie, inf**é**rieur, elle-m**ê**me, un d**é**coupage, une cr**ê**pe.

43. un p**ê**cheur, t**ê**tu, s'arr**ê**ter, un v**ê**tement, une b**ê**tise, la fen**ê**tre, des r**ê**ves, la temp**ê**te, un pr**ê**tre, une enqu**ê**te.

45. Camille allait d'un rayon à l'autre. Elle appelait :
– Tomy ! Tomy !
– Tu cherches ton chien ? lui demanda un vendeur.
– Pas du tout, c'est mon frère. Il a un an, protesta Camille.

47. un mon**t**, un cam**p**, un cham**p**, un trico**t**, énervan**t**, le galo**p**, un dra**p**, une den**t**, délica**t**, glissan**t**.

48. un homme courag**eux**, un jour (un soir...) orag**eux**, un plat cr**eux**, un animal (un chat, un enfant...) curi**eux**, un temps (un jour, un mois...) pluvi**eux**, un plat (un dessert...) délici**eux**, un papa génér**eux**, un virage danger**eux**, un chant (un refrain, un couplet...) joy**eux**, un chat heur**eux**.

49. ba**s**, un souhai**t**, épai**s**, parfai**t**, un ta**s**, distrai**t**, étroi**t**, satisfai**t**, mauvai**s**, du lai**t**.

50. un lo**t**, un bon**d**, le retar**d**, un clien**t**, un marchan**d**, une par**t**, du lar**d**, le transpor**t**, l'ar**t**, cen**t**.

55. onze, quatorze, sept, cent, soixante, vingt, soixante-dix (*ou* septante), mille, trente et un, quarante-sept.

58. la soir**ée**, la veill**ée**, l'ann**ée**, une bouch**ée**, une gorg**ée**, une travers**ée**, une arriv**ée**, la gel**ée**, une dict**ée**, la rentr**ée**.

61. frais, rouge, rond, lourd, épais, laid, lent, froid, blanc, noir.

62. la grosseur, la hauteur, la douceur, la largeur, la profondeur, la grandeur, la lon**gu**eur, la maigreur, la minceur, la pâleur.

65. l'utilité, la propreté, l'obscurité, la fierté, la bonté, la pauvreté, la saleté, la nouveauté, la rapidité, la facilité.

66. méchant, égal, immobile, solide, clair, simple, libre, infirme, réel, léger.

68. une préparation, une situation, une invitation, la ponctuation, une information, la circulation, une déclaration, la respiration, l'admiration, l'imagination.

71. un caract**ère**, le contr**aire**, la gramm**aire**, la col**ère**, un sal**aire**, popul**aire**, la poussi**ère**, solid**aire**, scol**aire**, une écoli**ère**.

73. un camion, une chanson, du vin, la raison, le médecin, un citron, un bassin, une question, le masculin, un tampon.

74. dess**iner**, faç**onner**, friss**onner**, stati**onner**, chagr**iner**, bout**onner**, vacc**iner**, pard**onner**, pat**iner**, chem**iner**.

76. cuisinier, berceuse, menuisier, raison, artisan, osier, exposition, rasoir, musée, groseilles.

79. le choix, un creux, doux, la toux, deux, roux, faux, dix, curieux, une noix.

82. *La prononciation change dans ces mots* : couchant *(coucant)*, pharmacie *(parmacie)*, charitable *(caritable)*, ahuri *(auri)*, charpente *(carpente)*.
    La prononciation ne change pas dans ces mots : menthe *(mente)*, thé *(té)*, bonhomme *(bonome)*, rhume *(rume)*, bonheur *(boneur)*.

84. l'huile, le héros, l'hirondelle, le hameau, l'horloge, la haie, l'habitude, la hache, l'homme, l'hélicoptère.

85. une sauterelle, une chouette, une ruelle, une recette, la dentelle, la toilette, une demoiselle, une voyelle, une serviette, une femelle.

86. une fourchette, une clochette, une miette, une cachette, une cuvette, une trompette, une bavette, une barrette, une devinette, une couchette, une fillette, une plaquette, une boulette, une chaînette, une sonnette, une languette, une facette, une roulette, une casquette, une noisette.

87. au beurre, un collier, un tube de pommade, une touffe, une grotte, une culotte, un carré, le chiffre, un coup de sifflet, la guerre.

88. terrasse, coiffeur, permettre, sonnerie, pommier, napperon, collage, souffrance, chauffage, personnage.

92. claquer, craquer, croiser, classer, dégager.

93. amusé → amusement ; enseigné → enseignement ; jugé → jugement ; gouverné → gouvernement ; miaulé → miaulement.

95. agréable, parfaite, soigneuse, douce, large, nette, rapide, juste, fausse, grave.

96. curieuse, curieusement ; tendre, tendrement ; gratuite, gratuitement ; simple, simplement ; malheureuse, malheureusement ; calme, calmement ; aimable, aimablement ; étroite, étroitement ; prochaine, prochainement ; lourde, lourdement.

98. quel **saut**, qu'il est **sot**, remplis ce **seau** ; un beau **conte**, monsieur le **comte**, le comptable a fini les **comptes** ; achète du **lait**, il est **laid** ; le potage est **bon**, il a fait un **bond**.

99. les installations du **port**, un jeune **porc** ; ce pantalon est trop **court**, le **cours** de la rivière, la **cour** a été goudronnée ; c'est la **fin**, il a **faim** ; une drôle de **voix** ; je le **vois**, il me **voit.**

100. deux ou trois **fois**, le **foie** d'une oie ; ce pull **vert**, aller **vers** le torrent, contient un **ver**, ce **verre** de limonade ; **sent** bon, une tache de **sang**, **cent** trois, **sans** enfants.

104. longtemps **après** elle, **près de** onze heures, **auprès** de toi, **d'après** vous, **très** contents ; il ne viendra **jamais**, elle dit **toujours** la vérité, **mais** je me méfie ; **alors** je lui ai proposé, **moins** que sa sœur.

105. je sais **maintenant**, **devant** la porte, une heure **durant**, **avant** toi, **pendant** une semaine ; **depuis** trois jours, **lorsqu'**il leva, **puis** il s'endormit, **puisque** tu veux sortir, Inès a **presque** toujours raison.

109. recond**uire**, détr**uire**, sav**oir**, reconstr**uire**, pleuv**oir**, fall**oir**, reprod**uire**, s'asse**oir**, s'instr**uire**, recev**oir**.

112. la terre **est** ronde (être ronde) ; ce bruit **est** pénible (être pénible) ; du piano **et** du violon ; il **est** très poli (être poli) ; il fait des grimaces **et** dit (faire **et** dire) ; elle se coucha **et** s'endormit (se coucher **et** s'endormir) ; **est**-il permis (être permis) ; il obéit **et** s'assit (obéir **et** s'asseoir) ; ce n'**est** pas stupide (être stupide) ; son portable **et** ses clés.

114. le placard **où** se trouvait *(l'endroit où)* ; un potage **ou** *(ou bien)* de la salade ; la grange **où** je me suis caché *(l'endroit où)* ; d'**où** es-tu parti ? *(de quel endroit ?)* ; ton frère **ou** *(ou bien)* ta sœur ; **où** veux-tu aller ? *(à quel endroit ?)* ; à Nice **ou** *(ou bien)* à Lyon ; un lapin **ou** *(ou bien)* un lièvre ; **où** est le rayon ? *(à quel endroit ?)* ; elle sait **où** il faut s'arrêter *(à quel endroit).*

116. **cet** arbuste, **cette** aiguille, **ces** grimaces, **cet** apprenti, **ces** boxeurs, **cet** objet, **cette** ouverture, **ces** jeux, **cet** éléphant, **ce** bruit.

119. avoir quinze ans ; avoir de grandes dents ; avoir mal (à la tête) ; avoir annoncé (du verglas) ; avoir (encore) faim ; avoir pris (le train) ; avoir trois enfants ; avoir donné ; avoir de la chance ; avoir repassé.

120. un coffre à jouets, une cuillère à soupe, un fer à repasser, une aiguille à tricoter, un masque à oxygène, une corbeille à papier, une chemise à rayures, une boîte à outils, une crème à bronzer, une brosse à dents.

121. Tom **a** peu d'argent ; **à** la fête ; **à** Nancy ; cette cabane n'**a** plus de porte ; **a**-t-elle un stylo (→ elle **a** un stylo) ; on **a** de la peine ; **à** la tombée de la nuit ; c'est **à** moi ; Martin **a** son nom ; d'un bout **à** l'autre.

122. **à** la mairie, **au** Japon, **à** la gardienne, **au** huitième rang, **à** monsieur Dupont.

125. se coucher, se déplacer, se rencontrer, se mettre (en route), se chauffer, se plaire, se croire, se cacher, se servir, se piquer.

126. **ce** chât**eau** fort, **ce** tabl**eau** moderne, **ce** fil**et** de pêche, **ce** j**eu** de société, **ce** microb**e** dangereux, **ce** refr**ain** célèbre, **ce** déch**et** agricol**e**, **ce** bru**it** de moteur, **ce** trico**t** de laine, **ce** gran**d** écra**n**.

127. *Ce qui t'a permis de répondre :* **ce** microscope ; il **se** peigne ; **ce** cavalier ; **ce** fil ; ils **se** sentent ; **ce** feuillage ; qu'on **se** suive, **se** perdre ; **ce** crocodile ; **ce** flacon.

131. il s'est rappelé ; se préparer, il s'est préparé ; il s'arrête, il s'est arrêté.

132. se retourner, se regarder, se rendre, se sauver, se cacher, se disputer, se dresser, se régaler, se brûler, se réveiller.

133. **son** ombre (la sienne) ; ils **sont** partis (être parti) ; elles **sont** capables (être capable) ; **son** morceau (le sien) ; où **sont**-ils allés ? (être allé) ; **son** triangle (le sien) ; **son** bateau (le sien) ; **sont**-ils ouverts ? (être ouvert) ; **son** marteau (le sien) ; les murs **sont** soutenus (être soutenu).

135. **c'est** un chat ; **ces** chats ; **c'est** mon frère ; **ces** enfants ; **cet** animal ; **c'est** un animal ; **cet** arbre ; **c'est** un érable ; **ces** branches ; **cette** pancarte.

138. **tout le** mois ; **toute la** matinée ; **tous les** jours ; **toutes les** semaines ; **tous ces** temps-ci ; **tout mon** placard ; **tous mes** tiroirs ; **toutes ses** histoires ; **toutes leurs** affaires ; **tous nos** feutres.

140. c'est l'automne (groupe du nom) ; c'est important (adjectif) ; c'est elle (pronom) ; c'est ma meilleure amie (groupe du nom) ; c'est pénible (adjectif).

141. se rendre, se promener, se mettre, se sauver, se tromper, s'arrêter, s'excuser, s'asseoir, se tourner, se passer.

142. mon frère **sait** déjà lire (savoir lire) ; il **s'est** précipité (se précipiter) ; **c'est** triste ; est-ce qu'elle **sait** mon nom ? (savoir mon nom) ; **c'est** un joueur ; l'enfant **s'est** réfugié (se réfugier) ; **c'est** ton portrait ; elle **s'est** décidée (se décider) ; **c'est** mon cousin ; Paul **sait** conjuguer (savoir conjuguer).

146. les chats **ont** faim ; elles n'**ont** pas voulu ; les garçons **ont** l'air ; pourquoi **ont**-ils glissé ? (→ ils ont glissé) ; elles n'**ont** pas encore gagné.

147. **on** nous dit ; **on** a été très applaudi ; **on** enveloppa le paquet et **on** ajouta ; **on** vit une brebis et **on** courut ; **on** a campé ; **on** a démonté ; **on** joue du piano ; **on** nous a signalé.

148. **on** va capturer ; ils **ont** imprimé (avoir imprimé) ; les paysans **ont** fini (avoir fini) ; **on** s'approche ; **on** lui a pardonné ; les chiens **ont** grogné (avoir grogné) ; ils **ont** souligné (avoir souligné) ; **on** s'est régalé ; les médecins **ont** soigné (avoir soigné) ; **on** finira demain.

149. Ils **ont couru** un mille mètres. Les chats **ont fait** tomber un couvercle. Les pompiers **ont utilisé** la grande échelle. Ils **ont longé** la rivière. Mes parents **ont prévu** un pique-nique demain.

152. leur**s** cahier**s** ; leur voiture ; leur machine ; leur**s** enfant**s** ; leur maison ; leur**s** livre**s** ; leur résultat ; leur**s** seau**x** ; leur chapeau ; leur**s** outil**s**.

153. des clés, un jeu, un vélo, des crayons, des bonnets, un avenir, des muscles, une équipe, des photos, des qualités.

154. On pose des questions. Je pardonnerai. Il ouvre la porte. On montre une carte. Elles offrent du thé. Elles expliquent un problème. Tu annonces la nouvelle. Ils défendent de crier. Vous racontez des histoires. Tu réponds.

155. leur poème, leurs vêtements, leur guitare, leur repas *ou* leurs repas, leur placard, leur souris *ou* leurs souris, leurs cheveux, leur secret, leurs surnoms, leurs pétales, leur cousin, leur choix *ou* leurs choix, leurs défauts, leur signature, leur matelas *ou* leurs matelas, leur casquette.

156. on **leur** a volé **leurs papiers** ; je **leur** ai indiqué ; **leurs** deux chats ; **leur** mamie ; **leur** histoire ; **leur** magasin ; qui **leur** a donné ; **leurs** vaccins ; on **leur** a servi.

159. *Tu as dû souligner :* elle a aidé ; le bricolage a occupé ; on a reposé ; la tempête a surpris ; il a offert ; son père a posé ; on a construit ; la grue a soulevé ; le policier a convoqué ; le libraire a commandé.

160. avoir fendu, avoir invité, avoir félicité, avoir cassé, avoir raconté, avoir entendu, avoir volé, avoir séparé, avoir jeté, avoir écouté.

161. Je protège. Tu jettes. Maman rinçait. Ils soigneront. On posera. Elle répare. Je remercie. Tu pèseras. Thomas regardait. Son propriétaire réclamera.

162. par **là** (par ici) ; qui veut **la** terminer ? ; on **l'a** très bien réglée (**on a** réglé) ; il **l'a** perdue (il a perdu) ; il ne **la** retrouvera pas (il retrouvera) ; ma clé n'est pas **là** (ici) ; **là**-haut ; je **la** distribuerai (je distribuerai) ; il ne **l'a** pas encore lu (il a lu) ; qui **la** remplacera ? (qui remplacera ?).

165. il est petit, **mais** il est malin ; je **mets** (mettre la table) ; il **met** (mettre ses mains) ; le soleil brille, **mais** il fait froid ; tu **mets** (mettre le chauffage) ; nous verrons, **mais** il faut ; maman **se met** (se mettre en colère) ; vas-y, **mais** ne tombe pas ; il **met** (mettre le réveil) ; le cactus est beau, **mais** il pique.

167. **quel** masque, **quels** manteaux, **quelles** chaises, **quelle** chanson, **quels** bruits, **quelle** étoffe, **quelles** bougies, **quelle** grimace, **quels** virages, **quelle** avalanche.

169. un jeu de cart**es** (avec **des** cartes) ; une tasse de th**é** (contenant **du** thé) ; des verres de lait (contenant **du** lait) ; des paquets de bonbon**s** (contenant **des** bonbons) ; une veste de lain**e** (faite avec de **la** laine) ; un kilo de cerises (**des** cerises pesant un kilo) ; une boîte d'allumett**es** (contenant **des** allumett**es**) ; un groupe d'enfant**s** (avec **des** enfants) ; des pommes de terre (qui poussent dans **la** terre) ; une collection de timbr**es** (faite avec **des** timbres).

172. des berc**eaux**, les sign**aux**, des noy**aux**, des tribun**aux**, les carnav**als** ; un boc**al**, le drap**eau**, le pré**au**, un crist**al**, un tonn**eau**.

173. des chât**eaux**, les mét**aux**, des dét**ails**, des hôpit**aux**, des mant**eaux**, les port**ails**, des termin**aux**, des vitr**aux**, des chac**als**, des évent**ails**.

175. un chev**eu**, des nev**eux**, un n**œud**, mon gen**ou**, des ég**outs**, des j**eux**, des b**œufs**, des tr**ous**, des f**eux**, les j**oues**.

176. des caillou**x**, des verrou**s**, des cachou**s**, des pneu**s**, des clou**s**, des vœu**x**, des matou**s**, les lieu**x**, des fou**s**, des pou**x**.

178. une berg**ère**, un dans**eur**, une invit**ée**, une nag**euse**, une monit**rice**, le pays**an**, la nouv**elle**, un fais**an**, une chi**enne**, une gagn**ante**.

181. une femme aimabl**e**, une histoire amus**ante**, une liste lon**gue**, une température norm**ale**, la règle princip**ale**, une fille blond**e**, une écriture réguli**ère**, une pièce cl**aire**, une journée pluv**ieuse**, un devoir fac**ile**.

183. une gros**se** fraise, de gros**ses** pêches, de gros**ses** poires, de gros fruits ; nos jol**is** livres bleu**s**, mes jol**ies** images bleu**es**, une joli**e** fleur bleu**e**.

184. des chemises rouges, une veste chaude, une veste bleue, un manteau trop court, des maillots propres, des maillots rouges, des maillots neufs, des chaussettes propres, des chaussettes usées, des chaussettes rouges.

185. des billets gratuit**s**, une actrice connu**e**, des jeux amusant**s**, des enfants sage**s**, un directeur sévère, une route étroit**e**, un buffet ciré, une chatte curieu**se**, des cheveux sombre**s**, une perruque noir**e**.

189. un homme et une femme polis, serviables ; un boulanger et un boucher polis, serviables ; une mère et une sœur gaies, serviables, gentilles, souriantes ; une voisine et un voisin polis, serviables.

191. **Elle** ne pleur**e** jamais. **Il** ne jou**e** pas. **Il** ne pleur**e** jamais. **Elles** ne s'amus**ent** plus. **Ils** ne s'amus**ent** plus. **On** ne jou**e** pas. **On** ne pleur**e** jamais. **Ma sœur** ne jou**e** pas. **Ma sœur** ne pleur**e** jamais. **Mes camarades** ne s'amus**ent** plus.

192. **mes frères** (ne) chant**ent** (pas) ; **on** pouv**ait** ; **les élèves** (ne) bavard**ent** (plus) ; **mon chat** (n')attrap**e** (jamais) ; **des** train**s** emmèn**ent.**

193. **elles** ne sav**aient** pas qu'**ils** av**aient** apporté ; (que vous) demand**ent-ils** ? ; **on** (ne) mang**e** (pas) ; **ces** acteur**s** jou**ent.**

194. Chaque chien mang**e.** Toutes les poules mang**ent.** Toutes les poules cour**ent.** Mes chiens mang**ent.** Mes chiens cour**ent.** Quelques chats mang**ent.** Quelques chats cour**ent.** Leur chat mang**e.** Plusieurs canards mang**ent.** Plusieurs canards cour**ent.**

195. ces pierres ressembl**ent** ; il n'av**ait** ; ses enfants regard**ent** ; ét**aient**-elles ; ils couch**ent** ; elles cour**ent** ; ces insectes suc**ent** ; les arbres pli**aient** ; où ét**ait**-il ; tes histoires m'amus**ent.**

198. **Il** les pos**e.** **Il** la pos**e.** **Elles** les pos**ent.** **Elles** la pos**ent.** **On** les pos**e.** **On** la pos**e.** **Ils** les pos**ent.** **Ils** la pos**ent.** **Elle** les pos**e.** **Elle** la pos**e.**

199. **je** leur souhait**e** (je souhaite) ; **les garçons** se ten**aient** ; **mon camarade** ri**ait** ; **Pierre** et **Paul** av**aient** (Pierre + Paul → 1 + 1 = 2) ; **elle** les écout**e** (elle écoute).

200. **la lumière** qui les attir**e** (la lumière attire) ; **Charlotte et Marie** repart**ent** ; **elles** la regard**ent** (elles regardent) ; **la surprise** les rend**ait** muets (la surprise rendait) ; **je** les rencontr**e** (je rencontre).

201. un homme et une femme march**aient** (un homme + une femme → 1 + 1 = 2) ; **les gens** dorm**ent** (*ou* dorm**aient**) ; **ses parents** la ten**aient** (ses parents tenaient) ; **sa mère** le consol**e** (sa mère console) ; Mathis et Nathan fêt**ent** (Mathis + Nathan → 1 + 1 = 2) ; **tu** le pos**es** (tu poses) ; **il** les détach**ait** (il détachait) ; **les garçons** la clou**ent** (les garçons clouent) pour que **les visiteurs** puiss**ent** ; l'enfant et le chien aim**ent** (l'enfant + le chien → 1 + 1 = 2).

205. **Elle** est arrivé**e.** **Il** est arrivé. **Ils** sont arrivé**s.** **Elles** sont arrivé**es.** **Julie** est arrivé**e.** **Mon frère** est parti. **Mes frères** sont parti**s.** **Ma sœur** est parti**e.** **Mes sœurs** sont parti**es.** **Mes voisins** sont parti**s.**

206. ces bouquets sont composé**s** ; ma gourde est rempli**e** ; leurs voitures étaient chargé**es** ; sa maison est situé**e** ; deux lions ont été capturé**s** ; les murs sont soutenu**s** ; la robe a été vendu**e** ; une deuxième séance est prévu**e** ; les récompenses ont été mérité**es** ; il s'est excusé.

207. elle a été consolé**e** ; ces melons sont vendu**s** ; les accusés seront jugé**s** ; l'électricité est fourni**e** ; elles seront choisi**es** ; les valises ont été oubli**ées** ; les baigneurs sont étendu**s** ; ce studio est occupé ; tous les messages seront déchiffré**s** ; ces mots sont rayé**s.**

211. Elle avait téléphoné. Elle avait cherché. Elle avait abandonné. **Elle était** arrêté**e**. **Elle était** revenu**e**. Ils ont téléphoné. Ils ont cherché. Ils ont abandonné. **Ils sont** distribué**s**. **Ils sont** soigné**s**.

212. **les randonneurs** sont arrivé**s** (ce sont les randonneurs *qui sont* arrivés) ; les randonneurs ont campé ; ces tentes ont abrité ; **ces tentes** sont utilisé**es** (ce sont les tentes *qui sont* utilisées) ; il a couru ; **il** est tombé (c'est lui *qui est* tombé) ; **elle** est partie (c'est elle *qui est* partie) ; elle a oublié ; **nous** sommes resté**s** (c'est nous *qui sommes* restés) ; nous avons poussé.

217. rincé**e** (c'est **la laine** *qui est* rincée) ; signé**e** (c'est **la lettre** *qui est* signée) ; vérifié**es** (ce sont **les additions** *qui sont* vérifiées) ; logé**s**, **ils** (ce sont eux *qui sont* logés) ; assis**es** (ce sont **elles** *qui sont* assises) ; **ils**, ruiné**s** (ce sont eux *qui sont* ruinés) ; servi**e** (c'est **la tarte** *qui est* servie) ; avoué**e** (c'est **la faute** *qui est* avouée) ; pardonné**e** (c'est **la faute** *qui est* pardonnée) ; chauffé**e** (c'est **la caravane** *qui est* chauffée).

219. **les livres** que maman a lu**s** (ce sont les livres *qui sont* lus) ; **le livre** que maman a **lu** (c'est le livre *qui est* lu) ; **le journal** que maman a **lu** (c'est le journal *qui est* lu) ; **les journaux** que maman a lu**s** (ce sont les journaux *qui sont* lus) ; **les revues** que maman a lu**es** (ce sont les revues *qui sont* lues).

220. distribué**s** (ce sont les colis *qui sont* distribués) ; mis**e** (c'est la lettre *qui est* mise à la poste) ; creusé**e** (c'est la tranchée *qui est* creusée) ; transporté**e** (c'est la marchandise *qui est* transportée) ; pes**é** (c'est le sac *qui est* pesé).

221. noté**e** (c'est la recette *qui est* notée) ; entendu (c'est le cri *qui est* entendu) ; prévenu**s** (ce sont les gens *qui sont* prévenus) ; trouvé**es** (ce sont les images *qui sont* trouvées) ; déchiffré**s** (ce sont les messages *qui sont* déchiffrés).

224. voul**oir**, mang**er**, pren**dre**, fin**ir**, sort**ir**, cour**ir**, trouv**er**, écr**ire**, recev**oir**, répon**dre**.

227. on lavait (passé) ; on achètera (futur) ; je t'offrirai (futur) ; Karim a veillé (passé) ; elle était entourée (passé) ; je chante (présent) ; il sera protégé (futur) ; il est parti (passé) ; La Fontaine écrivit (passé) ; il dessine (présent).

229. être amusante ; avoir rampé ; être blond ; être à l'heure ; avoir vérifié ; être courageux ; avoir posé ; être distrait ; être aimable ; avoir assez d'argent.

231. je fai**s**, il (elle *ou* on) fai**t** le lit ; je vien**s**, il vien**t** souvent ; je me**ts**, il me**t** un cadenas ; je **suis**, il **est** drôle ; je voi**s**, il voi**t** le danger.

232. tu sai**s**, vous savez lire ; tu veu**x**, vous voulez un jeu ; tu **as**, vous avez des dettes ; tu pren**ds**, vous prenez l'air ; tu va**s**, vous allez à reculons.

236. **tu** nag**es** ; **ils**, **elles** dorm**ent** ; **il**, **elle**, **on** réfléchi**t** ; **je**, **il**, **elle**, **on** soupir**e**.

237. je m'instrui**s** ; j'oubli**e** ; je rinc**e** ; j'écri**s** ; je class**e** ; je défai**s** ; je cour**s** ; j'appui**e** ; j'arriv**e** ; je m'enfui**s**.

238. il camp**e** ; elle choisi**t** ; on te remerci**e** ; elle se justifi**e** ; il obéi**t** ; on se réjoui**t** ; elle jauni**t** ; on aperçoi**t** ; il éternu**e** ; on revien**t**.

239. je rougi**s** ; on bondi**t** ; il sen**t** ; elle s'évanoui**t** ; on étudi**e** ; on se mari**e** ; elle voi**t** ; je clou**e** ; il avou**e** ; on rempli**t**.

241. on construi**t** ; je vérifi**e** ; Paul soutien**t** ; son chien désobéi**t** ; cette usine fourni**t** ; tu multipli**es** ; mon cousin oubli**e** ; les filles graviss**ent** ; nous cour**ons** ; l'ouragan détrui**t**.

243. je pein**s** ; je compren**ds** ; je ven**ds** ; je rejoin**s** ; je crain**s** ; j'appren**ds** ; je te ren**ds** ; j'étein**s** ; je cou**ds** ; je ten**ds**.

244. il se plain**t** ; elle ton**d** ; on atten**d** ; elle attein**t** ; il me surpren**d** ; on tein**t** ; elle descen**d** ; il repein**t** ; on enten**d** ; elle crain**t**.

245. tu répon**ds** ; je veu**x** ; mes notes surpr**ennent** ; on se plain**t** ; est-ce que tu repren**ds** ; cette montagne attein**t** ; le président du club défen**d** ; j'enten**ds** ; tu confon**ds** ; il per**d**.

249. il (elle *ou* on) ét**ait** capable ; ils (*ou* elles) ét**aient** capables ; il av**ait**, ils av**aient** du courage ; il cour**ait**, ils cour**aient** vite ; il ten**ait**, ils ten**aient** la laisse du chien ; il fais**ait**, ils fais**aient** semblant.

250. tu pouv**ais**, vous pouv**iez** dessiner ; tu all**ais**, vous all**iez** au marché ; tu voy**ais** ses (*ou* tes) cousins ; vous voy**iez** ses (*ou* vos) cousins ; tu pren**ais**, vous pren**iez** un parapluie ; tu parcour**ais**, vous parcour**iez** le monde.

253. je ri**ais** ; on nag**eait** ; il commen**çait** ; nous boug**ions** ; elles avan**çaient** ; je plong**eais** ; elle se coiff**ait** ; on désobéiss**ait** ; tu rin**çais** ; ils chang**eaient.**

255. il (elle *ou* on) sau**ra**, ils (*ou* elles) sau**ront** conduire ; il se**ra** enseignant ; ils se**ront** enseignants ; il donne**ra** son avis ; ils donne**ront** leur avis ; il pour**ra**, ils pour**ront** travailler ; il au**ra**, ils au**ront** un bon métier.

256. j'i**rai**, nous i**rons** en Italie ; je cour**rai**, nous cour**rons** comme un lièvre ; je cueill**erai**, nous cueill**erons** des fleurs ; je f**erai**, nous f**erons** des achats ; je prend**rai**, nous prend**rons** des photos.

257. il parcour**ra** ; tu arrive**ras** ; nous nous reve**rrons** ; ces cadeaux satisf**eront** ; ils s'en i**ront**, quand il y au**ra** ; on t'accueille**ra** ; elle me pardonne**ra** ; vous reprend**rez** ; reviend**rez**-vous.

260. on téléphon**era** ; elle se parfum**era** ; je m'appliqu**erai** ; on s'amus**era** ; tu ne te sali**ras** pas ; ils goût**eront** ; vous regard**erez** ; elle choisi**ra** ; nous boug**erons** ; il condui**ra**.

262. j'ai fin**i**, il (elle *ou* on) a fin**i** le dessin ; je suis all**é**, il est all**é** trop vite ; j'ai di**t**, il a di**t** la vérité ; j'ai **fait**, il a **fait** le ménage ; j'ai **eu**, il a **eu** peur.

263. tu **as** mi**s**, vous av**ez** mi**s** une veste ; tu **as été** sage, vous av**ez été** sage(s) ; tu **as** pri**s**, vous av**ez** pri**s** un stylo ; tu **as pu**, vous av**ez pu** partir ; tu **as** surpri**s** tes amis, vous av**ez** surpri**s** vos amis.

267. *Verbes conjugués à un temps simple* : tu viens ; nous irons ; on fera ; je serai ; je prends. *Verbes conjugués à un temps composé* : il avait pris ; elle est allée ; vous avez eu ; ils sont venus ; elles avaient fait.

268. 1. Le passé composé. • 2. C'est un temps composé (le plus-que-parfait, formé de l'auxiliaire *avions* et du participe passé *pris*). • 3. je vais (verbe *aller*, au présent) • 4. Au présent *(ils* ou *elles donnent).* • 5. j'avais pris *ou* tu avais pris (plus-que-parfait).

271. il a descend**u** ; elle a pass**é** ; ils avaient ment**i** ; elle a beaucoup grand**i** ; ils ont vend**u** ; le chasseur a aperç**u** ; on a chois**i** ; il est all**é** ; elle a attend**u** ; les élèves ont obé**i**.

273. une chose *qui est* d**ite** ; une chose *qui est* pr**ise** ; une fleur *qui est* sent**ie** ; une viande *qui est* cu**ite** ; une voiture *qui est* condu**ite**.

274. il a fleur**i** ; elle a perm**is** ; ils ont reprodu**it** ; on a interd**it** ; nous avons surpr**is**.

276. une élève *qui est* inscr**ite** ; une chose *qui est* produ**ite** ; une région *qui est* conqu**ise** ; une construction *qui est* démol**ie** ; une expédition *qui est* entrepr**ise** ; une chose *qui est* fa**ite** ; une fleur *qui est* off**erte** ; une lettre *qui est* rem**ise** ; une chose *qui est* repr**ise** ; une idée *qui est* adm**ise**.

279. On vient de réveill**er** Léo. Il **avait** réveill**é** Alice. Il faut réveill**er** Léo. Je tiens à réveill**er** Léo. J'**ai** réveill**é** Alice.

280. *Phrases avec un participe passé en -é* : J'ai **rayé** ta réponse. On a tout **vérifié**. Il a **présidé** la réunion. On l'a **capturé**. Tu l'as **oublié**.
Phrases avec un infinitif en -er : Nous allons **nager**. On doit **s'abriter**. Elle va **habiter** ici. On peut t'**aider**. Vous devez **avancer**.

281. j'ai mang**é** (avoir mangé) ; je veux mang**er** (je veux... *quoi faire ?* manger) ; je suis tomb**é** (être tombé) ; je viens de tomb**er** (je viens de... *quoi faire ?* de tomber) ; il faut se relev**er** (il faut... *quoi faire ?* se relever) ; il s'est relev**é** (s'être relevé) ; elle a chant**é** (avoir chanté) ; elle va chant**er** (elle va... *quoi faire ?* chanter) ; il doit march**er** (il doit... *quoi faire ?* marcher) ; nous avons march**é** (avoir marché).

286. vien**s** ; pren**ds** un cahier ; soi**s** sage ; donn**e** ce livre ; met**s** une veste ; fai**s** ce problème ; **aie** du courage ; cour**s** vite ; cueill**e** des pommes ; **va** à la gare.

288. répon**ds** tout de suite, par**s** vite, écout**e** la radio, écri**s** une lettre, sui**s** cette voiture, fini**s** tes devoirs, regard**e** avant de traverser, mang**e** lentement, ren**ds** le ballon, dor**s** bien.

290. vous dans**ez** ; vous avez dans**é** ; tu march**ais** ; il préfère march**er** ; le garçon march**ait**.

291. nous avons pass**é** ; il vient de pass**er** ; vous pass**ez** ; le car est pass**é** ; mon frère pass**ait** ; je pass**ais** ; les chiens pass**aient** ; ma sœur pass**ait** ; il va pass**er** ; elle pourrait pass**er**.

292. Elle veut dessin**er**. Nous avons dessin**é**. Ils dessin**aient**. Vous dessin**ez**. On dessin**ait**. Tu dois écout**er**. J'écout**ais**. Vous aviez écout**é**. L'élève écout**ait**. Tu écout**ais**.

296. il (elle *ou* on) f**it** le lit ; ils (*ou* elles) f**irent** le lit ; il **eut**, ils **eurent** la preuve ; il f**ut**, ils f**urent** là ; il donn**a**, ils donn**èrent** le signal du départ ; il all**a**, ils all**èrent** au marché.

297. je v**is**, il (elle *ou* on) v**it** un crocodile ; je d**us** m'arrêter, il d**ut** s'arrêter ; je rev**ins**, il rev**int** en classe ; je pr**is**, il pr**it** peur ; je voul**us**, il voul**ut** entrer.

301. j'arriv**ai** ; **il** commenç**a**, **elle** commenç**a**, **on** commenç**a** ; **ils** arrêt**èrent**, **elles** arrêt**èrent** ; **vous** travaill**âtes** ; **tu** laiss**as** ; **je** rest**ai** ; **nous** march**âmes**.

302. il (elle *ou* on) se retourn**a** brusquement ; il écriv**it** un nombre ; il perd**it** espoir ; il cour**ut** vers la sortie ; il dans**a** de joie ; il cr**ut** en la victoire ; il décid**a** de téléphoner ; il appel**a** de l'aide ; il s'endorm**it** rapidement ; il d**it** la vérité.

304. *Temps simple (verbe seul) souligné d'un trait* : on partit ; elle prit ; son père voulut ; il mit ; il sortit.
Temps composé (auxiliaire + verbe) souligné de deux traits : il est parti ; ils ont pris ; mes parents ont voulu ; elle a mis ; on est sorti.

306. *Si je pouvais...* je fe**rais**, nous fe**rions** tous les exercices ; je prend**rais**, nous prend**rions** le bateau ; je cou**rrais**, nous cou**rrions** plus vite ; j'i**rais**, nous i**rions** en Amérique ; je se**rais** pilote, nous se**rions** pilotes.

308. *Si elle voulait...* elle (il *ou* on) aurait, elles (*ou* ils) auraient une moto ; elle cueill**e**rait, elles cueill**e**raient des fraises ; elle viendrait, elles viendraient à ma rencontre ; elle pou**rr**ait, elles pou**rr**aient gagner ; elle s**au**rait, elles s**au**raient chanter.

309. tu comprend**rais** mieux ; je rev**errais** ; vous **auriez** ; elle s'en **irait** ; je **serais** heureux.

312. tu t'inscri**rais**, tu cou**rrais**, tu gagne**rais** ; tout le monde applaudi**rait** ; une majorette te tend**rait**, t'embrass**erait** ; tu mont**erais**, le maire te félicit**erait** ; des journalistes te photographi**eraient**, on te **verrait.**

Fiches de révision

Les exercices sont prévus avec cinq, dix ou vingt réponses. Chaque réponse juste vaut un point.

Fiche 1, page 138

1. **Texte :** huit heu**r**es - le coq n'a pas chant**é** - un renar**d** - l'a-t-il mang**é** - le pa**y**san - (il) cour**t** - au poul**aill**er - le coq (...) entour**é** - ses poules le regard**ent** - il atten**d** - le soleil se lève - il fai**t** - une idé**e** - longtem**ps** - le fermier s'écri**e**.
Question : les mots qui ont un **h** : *huit, heures, chanté, ahuri, chaussette*. Le **h** n'est pas nécessaire pour *heure* (c'est un **h muet** : on fait la liaison), mais il est nécessaire pour les autres. On ne fait pas de liaison avec *huit* (**h aspiré**). Sans leur **h**, les mots *chanté, chaussette* et *ahuri* deviendraient « *canté* », « *caussette* » et « *auri* ».

2. l'épicier - un cavalier - un cuisinier - le garde-barrière - le couturier.

3. agneau - buffet - barbu - chausson - duvet.

4. un chasseur - un chapeau - un chameau - un chagrin - un chaton.

5. achat - opéra - péniche - porter - dépenser.

6. **Texte :** la couleuvre **à** collier - (elle) vi**t** - des lieu**x** - elle **a** - elle peu**t** - elle pon**d** - de **dix** - à **trente** œufs - la femelle enfoui**t** - des végétau**x** - les œufs éclos**ent** - **quatre-vingts** jours - les œufs donn**ent** - des petits qui mesur**ent** - une quin**z**aine.
Question : *naissance, fourchu(e), collier, centimètre(s), femelle.*

7. vingt - cinq - sept - cent - six.

8. une conso**nn**e - le ci**n**éma - une mandari**n**e - pardo**nn**er - une lio**nn**e.

9. bocal - durant - chauffeur - envie - bravo.

10. chat - achat - cacher - marcher - détacher.

11. **Texte :** Nigodon a obligé - ses opéra**tions** - Super-Mamie est cach**ée** - des étincel**les** - magiqu**es** - les **neuf** - (ils) devien**nent** - les deux se tord**ent** - les **huit** - se chang**ent** - le pare**ss**eux - ren**d** - fau**x** - pendan**t** - la récréa**tion**.
Question : *il devra* (verbe *devoir* au futur). Autres personnes : *je devrai, tu devras, nous devrons, vous devrez, ils* (ou *elles*) *devront.*

12. le (*ou* la) commissaire - le banquier (*ou* la banquière) - le caissier (*ou* la caissière) le boulanger (*ou* la boulangère) - le (*ou* la) secrétaire.

13. frisson - écran - début - hauteur - gazon.

14. **a.** Faux (**son** accompagne le nom : règle 37). **b.** Vrai (règle 54). **c.** Faux (règles 53 et 54). **d.** Faux (règle 23). **e.** Vrai (règle 45).

15. danger - cadeau - lilas - pompier - citron.

16. **Texte : c'est** papa - **à** côté - **c'est** maman - tu **es** là - elle montre - hau**t** - trois pomm**es** - son frère proteste - **on** m'a - répét**é** - je n'ét**ais** - pas très gran**d** - perso**nn**e - n'avait jamais os**é** - je t'ai dessin**é**.
Question : *comme, souvent, encore, jamais, aussi.* On peut aussi accepter *point* dans l'expression invariable *« au point de ».*

17. cri - médecin - lent - marin - carte.

18. entrev**oir** - recev**oir** - prév**oir** - pleuv**oir** - fall**oir**.

19. un pinceau - un fardeau - la police - le bouquet de fleurs - une tranche de jambon.

20. rêve - ravin - pivert - savon - sève.

21. **Texte :** il se **met** - il crain**t** - les blaireau**x** - les voitures sont dangereu**ses** - parfoi**s** - des lézar**ds** - les fossé**s** - les haie**s** - **mais** - il se nourri**t** - d'escargo**ts** - de ver**s** de terre - de limaces gris**es** - noir**es** - roug**es**.
Question : *terre, (se) nourrir, chasse, manger, dangereux.*

22. une pompe - un camion - un parfum - un fromage - un journal.

23. chass**eur** - mang**eur** - profond**eur** - maigr**eur** - froid**eur**.

24. **a.** Faux (il peu**t**, règle 62). **b.** Vrai (règle 38). **c.** Vrai (règles 35 et 36). **d.** Faux (**ai** = avoir, mais **vas** = aller et **sais** = savoir, règle 62). **e.** Vrai (règles 61 et 69).

25. charger - danser - libérer - chasser - neiger.

Fiche 6, page 143

26. **Texte** : le mâle prépar**e** - un nid de bull**es** (fait avec des bulles) - **ses** œufs - il (les) récupèr**e** - il (les) plac**e** - la ponte termin**ée** - pour la protég**er** - il faut l'enlev**er** - la chang**er** - **c'est** le mâle - qui s'occup**e** - il répar**e** - avec **ses** (nageoires) - nag**e**oires - ceux qui s'abîm**ent**.
Question : *la récupération - une occupation - la préparation - la protection - une réparation.*

27. arme - cent - poli - sept - dent.

28. jaunir - offrir - milieu - normal - lézard.

29. l'éléphant - le repassage - c'est ouvert - un volet - les vestiaires.

30. casser - creuser - chasser - croiser - causer.

D

E

F

N

O

P

Table des matières

Achevé d'imprimer en Italie par Rotolito Lombarda
Dépôt legal: 93016-4/04 - Septembre 2010